Beginning Learner's Ukrainian Dictionary

Matthew Aldrich

and

Lisa Shilova

Adapted by Lisa Shilova
Edited by Matthew Aldrich and Lisa Shilova
Audio by Katerina Koturha
Cover illustration by Marharyta Kuzminova/Shutterstock.com
Cover design by Matthew Aldrich

ISBN: 978-1-949650-71-6

website: www.lingualism.com
email: contact@lingualism.com

Table of Contents

FREE ACCOMPANYING AUDIO

You can download or stream the accompanying audio tracks from our website.

www.lingualism.com/BLUD

Anki Flashcards

Study the dictionary's headwords and example sentences using Anki flashcards with audio—available as a separate purchase.

Introduction

The Beginning Learner's Ukrainian Dictionary is, as its name implies, designed for beginning learners of the Ukrainian language. The dictionary has been adapted from our book *The Beginning Learner's Russian Dictionary,* which is based on the official *Lexical Minimum* for the standardized test that includes 780 items that learners are expected to know at the A1 level. To these, the names of countries, common Ukrainian personal names, and grammatical terms have been added, bringing the total number of headwords in the dictionary to over 1,000.

This dictionary offers many advantages for beginning learners over other Ukrainian-English dictionaries. It offers a reader-friendly, uncluttered layout. Only senses appropriate to the A1 level appear in the entries. Grammatical information is presented clearly in tables along with invaluable usage notes. Example sentences contain only A1-level vocabulary found in the dictionary. (Beginning learners may find other dictionaries overwhelming, as entries contain multiple senses, many of which are uncommon and make it difficult to determine which sense is intended. Such dictionaries present limited grammatical information, often in abbreviated form, under the assumption that the reader is proficient in Ukrainian grammar. Likewise, example sentences may contain too many higher-level vocabulary words to be of use to beginning learners.)

The Beginning Learner's Ukrainian Dictionary is meant to be more than a reference in which to look up unknown words. It is a study tool to expand your lexicon and build a solid base in both vocabulary and grammar. You are encouraged to read through entry after entry, studying the structure of the example sentences, noticing the inflections of nouns, adjectives, and verbs, and practicing your listening skills and pronunciation while listening to the accompanying audio tracks.

Please read on to the next page to learn how best to make use of the dictionary.

Using The Dictionary

Sections: Each section begins with the letter written upper and lower case in three styles: serif typeface, sans-serif italic, and handwriting.

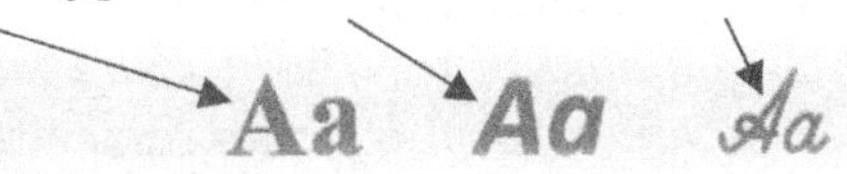

Order of Entries: The headwords are arranged in alphabetical order. On the back cover of this book, you can find a table of the Ukrainian alphabet along with the page number on which each letter's section begins.

Accent Marks: Ukrainian words of more than one syllable are marked with an accent mark (´) over the stressed syllable. Accent marks are only used in materials for learners, such as this dictionary, and do *not* normally appear in Ukrainian texts. It is important to learn which syllable of a word is stressed for correct pronunciation. The stressed syllable sometimes changes when a word is inflected. For example, the word ціна́ *(price)* is stressed on the second syllable, while its plural ці́ни *(prices)* is stressed on the first syllable.

Parts of an Entry:

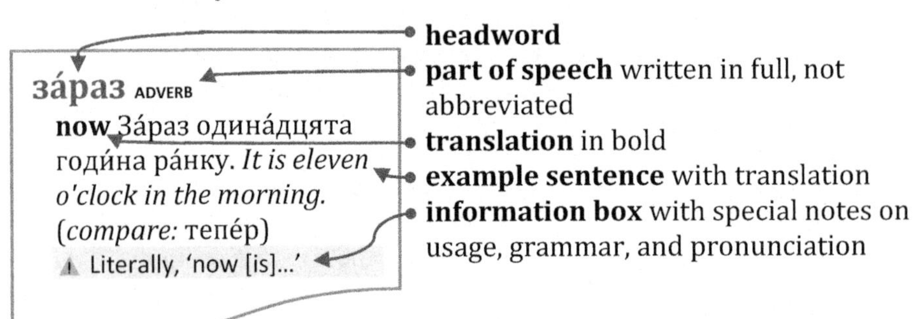

Adjectives: At the A1 level, you are expected to know the masculine, feminine, neuter, and plural forms of adjectives in the nominative case only. These are shown in the entries.

мале́нький ADJECTIVE
little, small Їх ді́ти ще мале́нькі. *Their children are still small.* (*antonym:* вели́кий)
M. мале́нький NT. мале́ньке
F. мале́нька PL. мале́нькі

писа́ти IMPERFECTIVE VERB
write Що ви пи́шете? *What are you writing?* (*perfective verb:* написа́ти)

PRES.	я пишу́	ми пи́шемо
	ти пи́шеш	ви пи́шете
	він пи́ше	вони́ пи́шуть
PAST	M. писа́в	NT. писа́ло
	F. писа́ла	PL. писа́ли
IMPER.	SG. пиши́	PL. пиші́ть

Verbs: The perfective/imperfective counterpart of most verbs is given in parentheses. The table shows the conjugation of the verb in the present tense (for imperfective verbs) / the future tense (for perfective verbs), the past tense, and the imperative for certain verbs (as required at the A1 level).

ба́тько NOUN, MASCULINE
father Ваш ба́тько інжене́р? *Is your father an engineer?* (*synonym:* та́то; *antonym:* ма́ти)

	SING.	PL.
NOM.	ба́тько	батьки́
GEN.	ба́тька	батькі́в
DAT.	ба́тьку	батька́м
ACC.	ба́тька	батькі́в
INSTR.	ба́тьком	батька́ми
PREP.	ба́тьку	батька́х
VOC.	ба́тьку	батьки́

Nouns: The gender of a Ukrainian noun can be determined by its ending, and thus gender is not normally marked in the dictionary. A noun ending in -а or -я is feminine; one ending in -о or -е is neuter; otherwise, it is masculine. Nouns are marked when there are exceptions to the above rules.

Cases: Even at the A1 level, you are expected to know the declension of nouns (and pronouns) in all cases. Case determines a noun's role in a sentence (subject, object, etc.). Also, prepositions require certain cases. The preposition для ('for') is followed by a noun in the genitive case. The preposition з, takes either the genitive case or the instrumental case depending on its meaning. Mastering cases is essential to attaining fluency in Ukrainian, and so, they should be, along with verb conjugations, a focus of your studies from early on.

See p. vii for terminology and abbreviations used in this dictionary.

Audio: The accompanying audio is available to download for free from our website at www.lingualism.com./BLUD. The tracks are labeled by the corresponding page number. Keep in mind that, although the voice artist is female, many of the example sentences in the dictionary are written as would be spoken by a male speaker.

Pronunciation

The following Ukrainian **consonants** correspond to sounds found in English:

	as in...
Б б	boy
В в	van
Д д	day
Ґ ґ*	good
Ж ж	vision
З з	zoo
Й й**	yes
К к	cat
Л л	love
М м	man

	as in...
Н н	name
П п	spoon
С с	sad
Т т	stop
Ф ф	four
Ч ч	chat
Ш ш	shall
Ц ц	cats
Щ щ	*fresh cheese*

* The letter ґ is used only in a handful of words, none of which appear in this dictionary. It is also used in some surnames, place names, and foreign borrowings.

** Й appears after vowels to create diphthongs: ай (as in *night*)

These consonant sounds are not found in English, but you may be familiar with them if you have studied other languages:

Г г	as in hat but voiced; try to mimic what you hear on the accompanying audio tracks.
Р р	a trilled **r**, as in Spanish or Italian
Х х	a voiceless velar fricative, as in the Scottish loch, German Buch, Spanish ojo, Arabic خ.

Let's look at five Ukrainian vowels.

А а	*as in* father
Е е	*as in* met
И и	*as in* sit
О о	*as in* more or show, but pure (without the glide to w)
У у	*as in* moon, but shorter

Hard Consonants

Ukrainian consonants (except й) can be pronounced in two ways: hard or soft. By soft, it is meant that the consonant is *palatalized.* That is, it is pronounced with the blade of the tongue pushed up against the hard palate (the front of the roof of the mouth). A hard consonant, by contrast, is *not* palatalized. You can basically think of it as being 'normal.'

The nineteen consonants on the previous page are introduced with their hard pronunciations. A Ukrainian consonant is hard if:

1. it is followed by a consonant,
2. it precedes one of the five vowels shown on the previous page,
3. it comes at the end of a word,
4. it is followed by an apostrophe (which is used as a 'hard sign').

Soft Consonants

Here are the remaining five vowels of the Ukrainian alphabet:

	after a consonant	*initial*
Я я	*as in* father	*as in* yacht
Є є	*as in* met	*as in* yet
І і	*as in* feed	*as in* feed
Ї ї	*as in* east	*as in* yeast
Ю ю	*as in* moon	*as in* you

When initial (at the beginning of a word) or after another vowel, these vowels (except for і) begin with a /y/ sound. When following a consonant, they indicate that the preceding consonant is soft.

Many learners of Ukrainian mistakenly think that a soft consonant is simply the normal (hard) consonant followed by a /y/ sound, but this is not accurate. A soft н, for example, does not sound the same as in the English word canyon. A soft н is a single sound—similar to an English n but with the tongue pressed against the hard palate of the mouth (as described at the top of the page).

A consonant is also pronounced soft when it precedes the letter ь (the 'soft sign'), as is seen especially at the end of Ukrainian words.

Terminology and Abbreviations

Abbreviations have been kept to a minimum in the dictionary, only being used in tables where space is limited. These abbreviations are shown below in parentheses.

ACCUSATIVE (ACC.)	The **accusative** case designates the object of an action, that is, the direct object of a verb. It is also used after certain prepositions, especially when showing direction or time.
ADJECTIVE	An **adjective** modifies or describes a noun: *beautiful, small, other, Ukrainian.*
ADVERB	An **adverb** modifies or qualifies a verb, adjective, or another adverb, and specifies manner, place, time, etc.: *quickly, very, here, yesterday.*
ANIMATE	An **animate** noun is either a person or animal.
ANTONYM	An **antonym** is an adjective with the opposite meaning as another adjective: good ≠ bad. It can also refer to the counterpart of a noun: boy ≠ girl.
CONJUNCTION	A **conjunction** is a word or phrase that connects two clauses (or nouns) in a sentence, such as *and, but, because, when, if, that.*
DATIVE (DAT.)	The **dative** case has several uses: 1) It designates an indirect object, which is usually expressed with the preposition *to* (or *for*) in English; 2) It is used after certain prepositions; 3) It is used to specify age, as can be seen in several examples in the dictionary. Regular masculine singular nouns have two suffix variants: -у and -ові. In this dictionary, we use the more colloquial -у; however, you may also encounter -ові in speech and writing.
EUPHONY	**Euphony** means 'pleasing sounds' and refers to changes made in words to avoid too many consonants in a row.
FEMININE (F.)	**Feminine** adjectives and past tense verbs agree in gender with the nouns they refer to.
FUTURE (FUT.)	In Ukrainian, perfective verbs can express **future** (and past) actions, but not present ones (see PRES.).
GENITIVE (GEN.)	The **genitive** case has several uses: 1) It shows possession, often translating as *of* or *_'s* in English; 2) It is used after certain prepositions; 3) The genitive

	plural is used after the numbers 5-20 and other numbers that end in 5-0 (that is, not 1-4) ; 4) It is used after нема́ (*there isn't/aren't...*) to show an absence; 5) The direct object of a negative verb.
IMPERATIVE (IMPER.)	An **imperative** verb is a command: *Go! / Don't go!*
IMPERFECTIVE VERB	An **imperfective** verb expresses an action without emphasis on its completion. It may be a habitual or continuous action in the past, present, or future.
INANIMATE	An **inanimate** noun is either a nonliving object or a plant. Notice in the declension tables that the accusative forms of inanimate masculine, neuter, and plural (but not feminine) nouns are the same as the nominative forms.
INDECLINABLE NOUN	An **indeclinable** noun only has *one* form and does not decline for case or plural.
INSTRUMENTAL (INSTR.)	The **instrumental** case: 1) is used after certain verbs (see працюва́ти and займа́тися); 2) is used after certain prepositions; 3) has other uses that you will learn about after the A1 level.
INTERJECTION	An **interjection** is an exclamation that is independent from a sentence: *Hello!, Excuse me!, Wow!*
MASCULINE (M.)	**Masculine** adjectives and past tense verbs agree in gender with the nouns they refer to.
MULTIDIRECTIONAL	A **multidirectional** verb expresses movement in more than one direction, round trips, etc.
NEUTER (NT.)	**Neuter** adjectives and past tense verbs agree in gender with the nouns they refer to.
NOMINATIVE (NOM.)	The **nominative** case designates the subject of a sentence. A singular nominative noun is also the *default* form of a noun, the one listed in dictionaries.
NOUN	A **noun** is a person, place, or thing.
NUMBER	A **number** expresses an exact quantity: *one, two, three.*
PARENTHETICAL WORD	A **parenthetical word** is offset from the rest of a sentence: *maybe, for example.*
PARTICLE	A **particle** is a word which does not fit the definition of other parts of speech.
PERFECTIVE VERB	A **perfective** verb expresses a single, completed action in the past or future.
PLURAL (PL.)	**Plural** designates 'more than one.' Plural adjectives and past tense verbs agree in number with the nouns they refer to.

PREDICATIVE ADJECTIVE	A **predicative adjective** is a neuter adjective used in idiomatic expressions without a grammatical subject, often translating as *It is...*
PREFIX	A **prefix** is a particle added to the beginning of a word, such as the prefix по-.
PREPOSITION	A **preposition** precedes a noun or pronoun: *in, for, with.* Dictionary entries for prepositions show which case is required for the governed noun/pronoun.
PREPOSITIONAL (PREP.)	The **prepositional** case is used after certain prepositions, especially when showing location. It is also known as the locative case. Regular masculine singular nouns have two suffix variants: -і and -ові. In this dictionary, we use the more colloquial -і; however, you may also encounter -ові in speech and writing.
PRESENT (PRES.)	The **present** tense refers to actions ongoing at the time of speaking or that are repeated (habitual) and is equivalent to English *he does, he is doing, he has been doing.* In Ukrainian, imperfective verbs (but not their perfective counterparts) can express present time.
PRONOUN	A **pronoun** can be used to avoid repeating a noun. Examples in English would be *I, he, him, our, this, nothing, who...*
SHORT ADJECTIVE	Masculine adjectives have **short** forms, which generally show temporary states (as opposed to intrinsic qualities) and are used predicatively.
SINGULAR (SING./SG.)	**Singular** designates 'one.'
SYNONYM	A **synonym** is a word that has the same or nearly the same meaning as another word.
UNIDIRECTIONAL	A **unidirectional** verb expresses movement in a single direction.
VERB	A **verb** describes an action or state. Verbs in Ukrainian are conjugated to agree with the subject and express past, present, or future time.
VOCATIVE	The **vocative** case is used for addressing someone. For example, *John, where you are going?* Here, John would be vocative. The vocative case is theoretically possible for all words, even if it may rarely be used. For example, how often would you call out to 'January'? But it is possible, as in *O January! Why are you so cold!?*

Аа *Аа* *Аа*

а CONJUNCTION

❶ **but, rather** У неї не білий телефо́н, а чо́рний. *She does not have a white phone, but a black one.*

❷ **and** – Як ти? – До́бре, а ти? *How are you? – Fine, and you?*

або́ CONJUNCTION

or Ви живе́те в буди́нку або́ кварти́рі? *Do you live in a house or in an apartment?*

Австра́лія NOUN

(geography) **Australia** Австра́лія дале́ко від Украї́ни. *Australia is far from Ukraine.*

	SING.		SING.
NOM.	Австра́лія	INSTR.	Австра́лією
GEN.	Австра́лії	PREP.	Австра́лії
DAT.	Австра́лії	VOC.	Австра́ліє
ACC.	Австра́лію		

А́встрія NOUN

(geography) **Austria** Я вивча́ю німе́цьку мо́ву, бо бу́ду навча́тися в А́встрії. *I'm learning German because I'm going to study in Austria.*

	SING.		SING.
NOM.	А́встрія	INSTR.	А́встрією
GEN.	А́встрії	PREP.	А́встрії
DAT.	А́встрії	VOC.	А́встріє
ACC.	А́встрію		

авті́вка NOUN

car Коли́ ви ку́пите авті́вку? *When will you buy a car?*

	SING.	PL.
NOM.	авті́вка	авті́вки
GEN.	авті́вки	авті́вок
DAT.	авті́вці	авті́вкам
ACC.	авті́вку	авті́вки
INSTR.	авті́вкою	авті́вками
PREP.	авті́вці	авті́вках
VOC.	авті́вко	авті́вки

авто́бус NOUN

bus А́ня ї́здить до шко́ли авто́бусом. *Anya goes to school by bus.*

	SING.	PL.
NOM.	авто́бус	авто́буси
GEN.	авто́буса	авто́бусів
DAT.	авто́бусу	авто́бусам
ACC.	авто́бус	авто́буси
INSTR.	авто́бусом	авто́бусами
PREP.	авто́бусі	авто́бусах
VOC.	авто́бусе	авто́буси

а́втор NOUN

author Ви зна́єте ім'я́ а́втора? *Do you know the author's name?*

	SING.	PL.
NOM.	а́втор	автори́
GEN.	а́втора	авторі̂в
DAT.	а́втору	автора́м
ACC.	а́втора	авторі̂в
INSTR.	а́втором	автора́ми
PREP.	а́вторі	автора́х
VOC.	а́вторе	автори́

адре́са NOUN

address Яка́ у вас адре́са? *What is your address?*

	SING.	PL.
NOM.	адре́са	адре́си
GEN.	адре́си	адре́с
DAT.	адре́сі	адре́сам
ACC.	адре́су	адре́си
INSTR.	адре́сою	адре́сами
PREP.	адре́сі	адре́сах
VOC.	адре́со	адре́си

аеропо́рт NOUN

airport Ви зустрі́нете мене́ в аеропорту́. *You'll meet me at the airport.*

	SING.	PL.
NOM.	аеропо́рт	аеропорти́
GEN.	аеропо́рту	аеропорті́в
DAT.	аеропо́рту	аеропорта́м
ACC.	аеропо́рт	аеропорти́
INSTR.	аеропо́ртом	аеропорта́ми
PREP.	аеропорту́	аеропорта́х
VOC.	аеропо́рте	аеропорти́

А́зія NOUN

(geography) **Asia** Ви були́ в А́зії? *Have you been to Asia?*

	SING.		SING.
NOM.	А́зія	INSTR.	А́зією
GEN.	А́зії	PREP.	А́зії
DAT.	А́зії	VOC.	А́зіє
ACC.	А́зію		

акти́вний ADJECTIVE

active У них ду́же акти́вні ді́ти. *They have very active children.*

M.	акти́вний	NT.	акти́вне
F.	акти́вна	PL.	акти́вні

акто́р NOUN

actor Мені́подо́бається цей акто́р. *I like this actor.*

	SING.	PL.
NOM.	акто́р	акто́ри
GEN.	акто́ра	акто́рів
DAT.	акто́ру	акто́рам
ACC.	акто́ра	акто́рів
INSTR.	акто́ром	акто́рами
PREP.	акто́рі	акто́рах
VOC.	акто́ре	акто́ри

акто́рка NOUN

actress Вона́ була́ акто́ркою. *She was an actress.*

	SING.	PL.
NOM.	акто́рка	акто́рки
GEN.	акто́рки	акто́рок
DAT.	акто́рці	акто́ркам
ACC.	акто́рку	акто́рок
INSTR.	акто́ркою	акто́рками
PREP.	акто́рці	акто́рках
VOC.	акто́рко	акто́рки

але́ CONJUNCTION

but Вони́ ма́ють мале́нький буди́нок, але́ ду́же га́рний. *They have a small, but very beautiful, house.*

Аме́рика NOUN

(geography) **America** Я мрі́ю про Аме́рику. *I dream about America.*

	SING.		SING.
NOM.	Аме́рика	INSTR.	Аме́рикою
GEN.	Аме́рики	PREP.	Аме́риці
DAT.	Аме́риці	VOC.	Аме́рико
ACC.	Аме́рику		

америка́нець NOUN

(male) **American** Скі́льки америка́нців живе́ в Украї́ні? *How many Americans live in Ukraine?*

	SING.	PL.
NOM.	америка́нець	америка́нці
GEN.	америка́нця	америка́нців
DAT.	америка́нцю	америка́нцям
ACC.	америка́нця	америка́нців
INSTR.	америка́нцем	америка́нцями
PREP.	америка́нці	америка́нцях
VOC.	америка́нцю	америка́нці

америка́нка NOUN

(female) **American** Ма́ти Ка́ті америка́нка. *Katya's mother is American.*

	SING.	PL.
NOM.	америка́нка	америка́нки
GEN.	америка́нки	америка́нок
DAT.	америка́нці	америка́нкам
ACC.	америка́нку	америка́нок
INSTR.	америка́нкою	америка́нками
PREP.	америка́нці	америка́нках
VOC.	америка́нко	америка́нки

америка́нський ADJECTIVE

American Мені́ подо́бається диви́тись америка́нські телепереда́чі. *I like watching American television programs.*

M.	америка́нський	NT.	америка́нське
F.	америка́нська	PL.	америка́нські

⚠ When denoting a person's nationality, an adjective is only used if it precedes a noun: **Він америка́нський акто́р.** *He is an American actor.* Otherwise, a noun must be used: **Він америка́нець.** *He is American.* Not ~~**Він америка́нський.**~~

англі́єць NOUN

Englishman Цей англі́єць ду́же до́бре розмовля́є украї́нською. *This Englishman is very fluent in Ukrainian.*

	SING.	PL.
NOM.	англі́єць	англі́йці
GEN.	англі́йця	англі́йців
DAT.	англі́йцю	англі́йцям
ACC.	англі́йця	англі́йців
INSTR.	англі́йцем	англі́йцями
PREP.	англі́йці	англі́йцях
VOC.	англі́йцю	англі́йці

англі́йка NOUN

Englishwoman До на́шого університе́ту приї́хала англі́йка. *An Englishwoman came to our university.*

	SING.	PL.
NOM.	англі́йка	англі́йки
GEN.	англі́йки	англі́йок
DAT.	англі́йці	англі́йкам
ACC.	англі́йку	англі́йок
INSTR.	англі́йкою	англі́йками
PREP.	англі́йці	англі́йках
VOC.	англі́йко	англі́йки

англі́йський ADJECTIVE

English Же́ня лю́бить англі́йську мо́ву. *Zhenya loves the English language.*
(*see note:* америка́нський)

M.	англі́йський	NT.	англі́йське
F.	англі́йська	PL.	англі́йські

англі́йською ADVERB

(in) English Ва́ші ді́ти ду́же до́бре розмовля́ють англі́йською. *Your children speak English very well.*

А́нглія NOUN

(geography) **England** В А́нглії хо́лодно взи́мку? *In England, is it cold in the winter?*

	SING.		SING.
NOM.	А́нглія	INSTR.	А́нглією
GEN.	А́нглії	PREP.	А́нглії
DAT.	А́нглії	VOC.	А́нгліє
ACC.	А́нглію		

а́нгло-украї́нський ADJECTIVE

English-Ukrainian У Сашка́ є а́нгло-украї́нський словни́к? *Does Sashko have an English-Ukrainian dictionary?*

апте́ка NOUN

pharmacy, drug store Апте́ка дале́ко? *Is the pharmacy far?*

	SING.	PL.
NOM.	апте́ка	апте́ки
GEN.	апте́ки	апте́к
DAT.	апте́ці	апте́кам
ACC.	апте́ку	апте́ки
INSTR.	апте́кою	апте́ками
PREP.	апте́ці	апте́ках
VOC.	апте́ко	апте́ки

Аргенти́на NOUN

(geography) **Argentina** Ваш студе́нт із Аргенти́ни? *Is your student from Argentina?*

	SING.		SING.
NOM.	Аргенти́на	INSTR.	Аргенти́ною
GEN.	Аргенти́ни	PREP.	Аргенти́ні
DAT.	Аргенти́ні	VOC.	Аргенти́но
ACC.	Аргенти́ну		

арти́ст NOUN

(male) **entertainer, artist** Він мій улю́блений арти́ст. *He's my favorite entertainer.*

	SING.	PL.
NOM.	арти́ст	арти́сти
GEN.	арти́ста	арти́стів
DAT.	арти́сту	арти́стам
ACC.	арти́ста	арти́стів
INSTR.	арти́стом	арти́стами
PREP.	арти́сті	арти́стах
VOC.	арти́сте	арти́сти

⚠ This is not *artist* in the sense of a *painter.* (*compare:* худо́жник)

арти́стка NOUN

(female) **entertainer, artist** Чи це відо́ма арти́стка? *Is she a famous entertainer?*

	SING.	PL.
NOM.	арти́стка	арти́стки
GEN.	арти́стки	арти́сток
DAT.	арти́стці	арти́сткам
ACC.	арти́стку	арти́сток
INSTR.	арти́сткою	арти́стками
PREP.	арти́стці	арти́стках
VOC.	арти́стко	арти́стки

аудито́рія NOUN

lecture hall Яка́ холо́дна аудито́рія! *What a cold lecture hall!*

	SING.	PL.
NOM.	аудито́рія	аудито́рії
GEN.	аудито́рії	аудито́рій
DAT.	аудито́рії	аудито́ріям
ACC.	аудито́рію	аудито́рії
INSTR.	аудито́рією	аудито́ріями
PREP.	аудито́рії	аудито́ріях
VOC.	аудито́ріє	аудито́рії

А́фрика NOUN

(geography) **Africa** Ви бажа́єте поїхати до А́фрики? *Do you want to go to Africa?*

	SING.		SING.
NOM.	А́фрика	INSTR.	А́фрикою
GEN.	А́фрики	PREP.	А́фриці
DAT.	А́фриці	VOC.	А́фрико
ACC.	А́фрику		

Бб *Бб* *Бб*

бабу́ся NOUN

grandmother Моя́ бабу́ся ду́же до́бра. *My grandmother is very kind.*

	SING.	PL.
NOM.	бабу́ся	бабу́сі
GEN.	бабу́сі	бабу́сь
DAT.	бабу́сі	бабу́сям
ACC.	бабу́сю	бабу́сь
INSTR.	бабу́сею	бабу́сями
PREP.	бабу́сі	бабу́сях
VOC.	бабу́сю	бабу́сі

бага́тий ADJECTIVE

rich, wealthy Усі зна́ють, що Ні́на ма́є бага́того ба́тька. *Everyone knows that Nina has a wealthy father.* (*antonym:* бі́дний)

M.	бага́тий	NT.	бага́те
F.	бага́та	PL.	бага́ті

бага́то ADVERB

(*+ genitive case*) **a lot (of), much, many** Ви́бачте, ма́ю бага́то робо́ти. *Sorry, I have a lot of work.* (*antonym:* ма́ло)

бажа́ти IMPERFECTIVE VERB

wish, desire Я бажа́ю тобі́ ща́стя! *I wish you happiness!* (*perfective verb:* побажа́ти)

⚠ This word is not used to express *I wish I (could, etc.)...*

PRES.	я бажа́ю	ми бажа́ємо
	ти бажа́єш	ви бажа́єте
	він бажа́є	вони́ бажа́ють
PAST	M. бажа́в	NT. бажа́ло
	F. бажа́ла	PL. бажа́ли

бале́т NOUN

ballet Я ніко́ли не була́ на бале́ті. *I've never been to the ballet.*

	SING.	PL.
NOM.	бале́т	бале́ти
GEN.	бале́ту	бале́тів
DAT.	бале́ту	бале́там
ACC.	бале́т	бале́ти
INSTR.	бале́том	бале́тами
PREP.	бале́ті	бале́тах
VOC.	бале́те	бале́ти

банк NOUN

bank Банк неподалі́к від по́шти. *The bank is close to the post office.*

	SING.	PL.
NOM.	банк	ба́нки
GEN.	ба́нку	ба́нків
DAT.	ба́нку	ба́нкам
ACC.	банк	ба́нки
INSTR.	ба́нком	ба́нками
PREP.	ба́нку	ба́нках
VOC.	ба́нку	ба́нки

басе́йн NOUN

swimming pool У мі́сті є басе́йн? *Is there a swimming pool in town?*

	SING.	PL.
NOM.	басе́йн	басе́йни
GEN.	басе́йну	басе́йнів
DAT.	басе́йну	басе́йнам
ACC.	басе́йн	басе́йни
INSTR.	басе́йном	басе́йнами
PREP.	басе́йні	басе́йнах
VOC.	басе́йне	басе́йни

баскетбо́л NOUN, UNCOUNTABLE

basketball Олекса́ндр грав у баскетбо́л у шко́лі. *Oleksandr played basketball in school.*

	SING.		SING.
NOM.	баскетбо́л	INSTR.	баскетбо́лом
GEN.	баскетбо́лу	PREP.	баскетбо́лі

DAT.	баскетбо́лу	VOC.	баскетбо́ле
ACC.	баскетбо́л		

батьки́ NOUN, PLURAL

parents Ми з батька́ми хо́чемо вам допомогти́. *My parents and I want to help you.* (*synonym:* ма́ти і ба́тько)

	SING.		SING.
NOM.	батьки́	INSTR.	батька́ми
GEN.	батькі́в	PREP.	батька́х
DAT.	батька́м	VOC.	батьки́
ACC.	батькі́в		

батьківщи́на NOUN

birthplace, homeland Де ва́ша батьківщи́на? *Where is your birthplace?*

	SING.	PL.
NOM.	батьківщи́на	батьківщи́ни
GEN.	батьківщи́ни	батьківщи́н
DAT.	батьківщи́ні	батьківщи́нам
ACC.	батьківщи́ну	батьківщи́ни
INSTR.	батьківщи́ною	батьківщи́нами
PREP.	батьківщи́ні	батьківщи́нах
VOC.	батьківщи́но	батьківщи́ни

ба́тько NOUN, MASCULINE

father Ваш ба́тько інжене́р? *Is your father an engineer?* (*synonym:* та́то; *antonym:* ма́ти)

	SING.	PL.
NOM.	ба́тько	батьки́
GEN.	ба́тька	батькі́в
DAT.	ба́тьку	батька́м
ACC.	ба́тька	батькі́в
INSTR.	ба́тьком	батька́ми
PREP.	ба́тьку	батька́х
VOC.	ба́тьку	батьки́

ба́чити IMPERFECTIVE VERB

see Ти ба́чиш мене́? *Can you see me?* (*perfective verb:* поба́чити)

PRES.	я ба́чу	ми ба́чимо
	ти ба́чиш	ви ба́чите
	він ба́чить	вони́ ба́чать
PAST	M. ба́чив	NT. ба́чило
	F. ба́чила	PL. ба́чили

без PREPOSITION

(+ genitive case) **without** – Ти допомо́жеш мені́? – Без пробле́м! *Will you help me? – No problem!*

бе́резень NOUN

March У бе́резні ми пої́демо до А́нглії. *In March, we will go to England.*

	SING.	PL.
NOM.	бе́резень	бе́резні
GEN.	бе́резня	бе́резнів
DAT.	бе́резню	бе́резням
ACC.	бе́резень	бе́резні
INSTR.	бе́резнем	бе́резнями
PREP.	бе́резні	бе́резнях
VOC.	бе́резню	бе́резні

бібліоте́ка NOUN

library У вас в університе́ті є бібліоте́ка? *Do you have a library at your university?*

	SING.	PL.
NOM.	бібліоте́ка	бібліоте́ки
GEN.	бібліоте́ки	бібліоте́к
DAT.	бібліоте́ці	бібліоте́кам
ACC.	бібліоте́ку	бібліоте́ки
INSTR.	бібліоте́кою	бібліоте́ками
PREP.	бібліоте́ці	бібліоте́ках
VOC.	бібліоте́ко	бібліоте́ки

бі́дний ADJECTIVE

poor Це ду́же бі́дна краї́на. *This is a very poor country.* (*antonym:* бага́тий)

M.	бі́дний	NT.	бі́дне
F.	бі́дна	PL.	бі́дні

бі́знес NOUN, UNCOUNTABLE

business Іва́н має свій бі́знес. *Ivan has his own business.*

	SING.	PL.
NOM.	бі́знес	бі́знеси
GEN.	бі́знесу	бі́знесів
DAT.	бі́знесу	бі́знесам

ACC.	бізнес	бізнеси
INSTR.	бізнесом	бізнесами
PREP.	бізнесі	бізнесах
VOC.	бізнесе	бізнеси

бізнесву́мен NOUN, FEMININE, INDECLINABLE

businesswoman Моя́ ма́ти бізнесву́мен. *My mother is a businesswoman.*

бізнесме́н NOUN

businessman Бізнесме́ни купу́ють дорогі́ авті́вки. *Businessmen buy expensive cars.*

	SING.	PL.
NOM.	бізнесме́н	бізнесме́ни
GEN.	бізнесме́ну	бізнесме́нів
DAT.	бізнесме́ну	бізнесме́нам
ACC.	бізнесме́ну	бізнесме́нів
INSTR.	бізнесме́ном	бізнесме́нами
PREP.	бізнесме́ні	бізнесме́нах
VOC.	бізнесме́не	бізнесме́ни

бі́лий ADJECTIVE

white Я купи́ла бі́лу парасо́льку. *I bought a white umbrella.* (*antonym:* чо́рний)

M.	бі́лий	NT.	бі́ле
F.	бі́ла	PL.	бі́лі

бі́ля PREPOSITION

(+ genitive case) **near, by** Стіл стої́ть бі́ля вікна́. *The table is by the window.*

блаки́тний ADJECTIVE

light blue, sky blue Подиви́ся, яка́ блаки́тна вода́! *Look how blue the water is!*

M.	блаки́тний	NT.	блаки́тне
F.	блаки́тна	PL.	блаки́тні

бли́зько ADVERB

close, nearby Ти живе́ш бли́зько? *Do you live nearby?* (*synonym:* неподалі́к; *antonym:* дале́ко)

бо CONJUNCTION

because Я вивча́ю украї́нську мо́ву, бо хо́чу пої́хати до Украї́ни. *I'm learning Ukrainian because I want to go to Ukraine.*

Брази́лія NOUN

(geography) **Brazil** Брази́лія – це вели́ка краї́на. *Brazil is a very big country.*

	SING.		SING.
NOM.	Брази́лія	INSTR.	Брази́лією
GEN.	Брази́лії	PREP.	Брази́лії
DAT.	Брази́лії	VOC.	Брази́ліє
ACC.	Брази́лію		

брат NOUN

brother Його́ брат живе́ в Украї́ні. *His brother lives in Ukraine.* (*antonym:* сестра́)

	SING.	PL.
NOM.	брат	брати́
GEN.	брата́	браті́в
DAT.	брату́	брата́м
ACC.	брата́	браті́в
INSTR.	брато́м	брата́ми
PREP.	браті́	брата́х
VOC.	бра́те	брати́

бра́ти IMPERFECTIVE VERB

take Щодня́ я беру́ гро́ші на обі́д у шко́лі. *Every day I take money to school for lunch.* (*antonym:* дава́ти; *perfective verb:* узя́ти)

PRES.	я беру́	ми беремо́
	ти бере́ш	ви берете́
	він бере́	вони́ беру́ть
PAST	M. брав	NT. бра́ло
	F. бра́ла	PL. бра́ли

буди́нок NOUN

house У вас вели́кий буди́нок? *Do you have a big house?*

	SING.	PL.
NOM.	буди́нок	буди́нки
GEN.	буди́нку	буди́нків

DAT.	будúнку	будúнкам
ACC.	будúнок	будúнки
INSTR.	будúнком	будúнками
PREP.	будúнку	будúнках
VOC.	будúнку	будúнки

будíвля NOUN

building Будíвля бáнку розташóвана неподалíк аптéки. *The bank building is located near the pharmacy.*

	SING.	PL.
NOM.	будíвля	будíвлі
GEN.	будíвлі	будíвель
DAT.	будíвлі	будíвлям
ACC.	будíвлю	будíвлі
INSTR.	будíвлею	будíвлями
PREP.	будíвлі	будíвлях
VOC.	будíвле	будíвлі

будувáти IMPERFECTIVE VERB

build Мій бáтько будýє будúнок. *My father is building a house.* (*perfective verb:* побудувáти)

PRES.	я будýю	ми будýємо
	ти будýєш	ви будýєте
	він будýє	вонú будýють
PAST	M. будувáв	NT. будувáло
	F. будувáла	PL. будувáли

будь лáска PARTICLE

please Читáйте увáжно, будь лáска. *Read carefully, please.*

бýти IMPERFECTIVE VERB

❶ *(infinitive)* **to be** Бýти чи не бýти... *To be or not to be...*

❷ *(past)* **was, were** Я був удóма вчóра ввéчері. *I was at home last night.*

❸ *(present)* **am, is, are** Украї́нська мóва гáрна. *Ukrainian is a beautiful language.*

⚠ The verb бýти is unexpressed in the present tense. The conjugated forms are instead used to express the future, as seen below.

❹ *(future)* **will be** Мéнеджер бýде тут о дрýгій годúні. *The manager will be here at two o'clock.*

⚠ The future tense can also be expressed for imperfective verbs using this verb as an auxiliary. For example, я бýду читáти (I will read; I will be reading). It is synonymous to я читáтиму. (*See the note for* продóвжувати *for information on conjugating the future tense of imperfect verbs in Ukrainian.*)

PRES.	я -	ми -
	ти -	ви -
	він -	вонú -
FUT.	я бýду	ми бýдемо
	ти бýдеш	ви бýдете
	він бýде	вонú бýдуть
PAST	M. був	NT. булó
	F. булá	PL. булú

Вв *Вв* *Вв*

в (*see* **у**)

вагóн NOUN

train car У вас перший вагóн. *You are in the first car.*

	SING.	PL.
NOM.	вагóн	вагóни
GEN.	вагóну	вагóнів
DAT.	вагóну	вагóнам
ACC.	вагóн	вагóни
INSTR.	вагóном	вагóнами
PREP.	вагóні	вагóнах
VOC.	вагóне	вагóни

важли́во PREDICATIVE ADJECTIVE

important Вивчáти мóви це важли́во. *Learning languages is important.*

вам PRONOUN, DATIVE

(to) you Я дам вам мій словни́к. *I'll give you my dictionary.* Я знáю, що вам подóбаються окуля́ри. *I know that you like my glasses.* (*see also:* ви)

вáми PRONOUN, INSTRUMENTAL **you** Це завдáння ви́рішено вáми **з вáми with you** Вонá не хóче говори́ти з вáми. *She does not want to talk to you.* (*see also:* ви)

вас PRONOUN

❶ GENITIVE **you** У вас немá сьогóдні урóків? *Don't you have any lessons today?*

❷ ACCUSATIVE **you** Я вас кохáю. *I love you.* Я багáто знáю про вас. *I know a lot about you.* (*see also:* ви)

ваш PRONOUN, POSSESSIVE

your Це ваш друг? *Is this your friend?*

⚠ Ваш is used to address two or more people. It is the plural of твій. It can also be used to address one person to show respect–to a stranger or superior. (*compare:* твій)

M.	ваш	NT.	вáше
F.	вáша	PL.	вáші

ввéчері (*see* **увéчері**)

вдóма ADVERB

at home Ти бýдеш вдóма о вóсьмій годи́ні? *Will you be home at eight o'clock?*

вдень (*see* **удéнь**)

вели́кий ADJECTIVE

❶ **big, large** Їм подóбаються вели́кі автíвки. *They like big cars.* (*antonym:* малéнький)

❷ **great** Це вели́кий украї́нський поéт. *This is a great Ukrainian poet.*

M.	вели́кий	NT.	вели́ке
F.	вели́ка	PL.	вели́кі

вéресень NOUN

September Куди́ ви ї́здили у вéресні? *Where did you go in September?*

	SING.	PL.
NOM.	вéресень	вéресні
GEN.	вéресня	вéреснів
DAT.	вéресню	вéресням
ACC.	вéресень	вéресні
INSTR.	вéреснем	вéреснями
PREP.	вéресні	вéреснях
VOC.	вéресню	вéресні

весе́лий ADJECTIVE

fun, enjoyable, cheerful, merry Ка́тя ду́же весе́ла ді́вчина. *Katya is a very fun girl.*

M.	весе́лий	NT.	весе́ле
F.	весе́ла	PL.	весе́лі

ве́село ADVERB

enjoyably На уро́ці було́ ду́же ве́село. *It was really fun in the lesson.*

весна́ NOUN

spring Весна́ – моя́ улю́блена пора́ ро́ку. *Spring is my favorite time of the year.* (*antonym:* о́сінь)

	SING.	PL.
NOM.	весна́	ве́сни
GEN.	весни́	ве́сен
DAT.	весні́	ве́снам
ACC.	ве́сну	ве́сни
INSTR.	весно́ю	ве́снами
PREP.	весні́	ве́снах
VOC.	ве́сно	ве́сни

весь (*see* **увесь**)

вече́ря NOUN

dinner Що в нас сього́дні на вече́рю? *What are we having for dinner today?*

	SING.	PL.
NOM.	вече́ря	вече́рі
GEN.	вече́рі	вече́р
DAT.	вече́рі	вече́рям
ACC.	вече́рю	вече́рі
INSTR.	вече́рею	вече́рями
PREP.	вече́рі	вече́рях
VOC.	вече́ре	вече́рі

вече́ряти IMPERFECTIVE VERB

have dinner У ко́трій ви зазвича́й вече́ряєте? *What time do you usually have dinner?* (*perfective verb:* повече́ряти)

PRES.	я вече́ряю	ми вече́ряємо
	ти вече́ряєш	ви вече́ряєте
	він вече́ряє	вони́ вече́ряють
PAST	M. вече́ряв	NT. вече́ряло
	F. вече́ряла	PL. вече́ряли

ве́чір NOUN

evening Мені́ сподо́бався ве́чір із дру́зями. *I enjoyed an evening with friends* **До́брий ве́чір!** *Good evening!* **Га́рного ве́чора!** *Have a good evening!* (*antonym:* ра́нок)

	SING.	PL.
NOM.	ве́чір	вечори́
GEN.	ве́чора	вечорі́в
DAT.	ве́чору	вечора́м
ACC.	ве́чір	вечори́
INSTR.	ве́чором	вечора́ми
PREP.	ве́чорі	вечора́х
VOC.	ве́чоре	вечори́

ве́чора ADVERB

p.m., in the evening За́раз сім годи́н ве́чора. *It's seven o'clock in the evening.*

⚠ Ве́чора is used for 5 p.m. - 11 p.m. (*compare:* ра́нку, дня, но́чі)

вже (*see* **ужé**)

взи́мку (*see* **узи́мку**)

взя́ти (*see* **узя́ти**)

взуття́ NOUN, NEUTER, UNCOUNTABLE

shoes, footwear Італі́йське взуття́ ду́же до́бре. *Italian shoes are very good.*

	SING.		SING.
NOM.	взуття́	INSTR.	взуття́м
GEN.	взуття́	PREP.	взутті́
DAT.	взуттю́	VOC.	взуття́
ACC.	взуття́		

ви PRONOUN, NOMINATIVE

❶ **you** Ви зазвича́й вече́ряєте вдо́ма? *Do you usually have dinner at home?*

❷ **you are** Ви батьки́ А́ні? *Are you Ana's parents?*

⚠ Ви is used to address two or more people. It is the plural of ти. It can also be used to address one person to show respect–to a stranger or superior. Even when ви refers to one person, its verb and adjective agreement should be plural. (*compare:* ти)

NOM.	ви	ACC.	вас
GEN.	вас	INSTR.	ва́ми
DAT.	вам	PREP.	вас

ви́бач(те) INTERJECTION

❶ **excuse me, pardon** Ви́бачте, де тут апте́ка? *Excuse me, where is the pharmacy around here?* **Ви́бачте, ви не зна́єте...?** *Excuse me, do you (happen to) know...?*

❷ **(I'm) sorry** Ви́бачте, що я запізни́вся. *Sorry, I'm late.*

вивча́ти IMPERFECTIVE VERB

learn, study Яку́ мо́ву ти вивча́ла у шко́лі? *What language did you study at school?* Я вивча́ю украї́нську мо́ву оди́н рік. *I have been learning Ukrainian for one year.* (*perfective verb:* ви́вчити)

PRES.	я вивча́ю	ми вивча́ємо
	ти вивча́єш	ви вивча́єте
	він вивча́є	вони́ вивча́ють
PAST	M. вивча́в	NT. вивча́ло
	F. вивча́ла	PL. вивча́ли

ви́вчити PERFECTIVE VERB

❶ **learn** Оле́г не мо́же ви́вчити цей текст. *Oleg cannot learn this text.*

❷ **study** Я до́бре ви́вчила це пита́ння. *I have studied this issue well.* (*imperfective verb:* вивча́ти)

FUT.	я ви́вчу	ми ви́вчимо
	ти ви́вчиш	ви ви́вчите
	він ви́вчить	вони́ ви́вчать
PAST	M. ви́вчив	NT. ви́вчило
	F. ви́вчила	PL. ви́вчили

виклада́ч NOUN

(male) **teacher** Ваш виклада́ч інозе́мець? *Is your teacher a foreigner?* (*synonym:* вчи́тель)

	SING.	PL.
NOM.	виклада́ч	викладачі́
GEN.	викладача́	викладачі́в
DAT.	викладачу́	викладача́м
ACC.	викладача́	викладачі́в
INSTR.	викладаче́м	викладача́ми
PREP.	викладачі́	викладача́х
VOC.	виклада́чу	викладачі́

виклада́чка NOUN

(female) **teacher** На́ша виклада́чка ду́же до́бра. *Our teacher is very kind.* (*synonym:* вчи́телька)

	SING.	PL.
NOM.	виклада́чка	виклада́чки
GEN.	виклада́чки	виклада́чок
DAT.	виклада́чці	виклада́чкам
ACC.	виклада́чку	виклада́чок
INSTR.	виклада́чкою	виклада́чками
PREP.	виклада́чці	виклада́чках
VOC.	виклада́чко	виклада́чки

вино́ NOUN

wine Мари́на лю́бить іспа́нське вино́. *Marina likes Spanish wine.*

	SING.	PL.
NOM.	вино́	ви́на
GEN.	вина́	вин
DAT.	вину́	ви́нам
ACC.	вино́	ви́на
INSTR.	вино́м	ви́нами
PREP.	вині́	ви́нах
VOC.	вино́	ви́на

ви́рішити PERFECTIVE VERB

❶ **decide** Я ви́рішив, що вивча́тиму кита́йську мо́ву. *I decided that I would learn*

Chinese.

❷ **solve** Мені́ потрі́бно ви́рішити завда́ння до кінця́ уро́ку. *I need to solve the problem before the end of the lesson.*

(*imperfective verb:* вирі́шувати)

FUT.	я ви́рішу	ми ви́рішимо
	ти ви́рішиш	ви ви́рішите
	він ви́рішить	вони́ ви́рішать
PAST	M. ви́рішив	NT. ви́рішило
	F. ви́рішила	PL. ви́рішили

вирі́шувати IMPERFECTIVE VERB

❶ **decide** Чому́ ви вирі́шуєте, що я ма́ю роби́ти в житті́? *Why are you deciding what I should do in life?*

❷ **solve** Сергі́й завжди́ вирі́шує пробле́ми. *Sergiy always solves problems.*

(*perfective verb:* ви́рішити)

PRES.	я вирі́шую	ми вирі́шуємо
	ти вирі́шуєш	ви вирі́шуєте
	він вирі́шує	вони́ вирі́шують
PAST	M. вирі́шував	NT. вирі́шувало
	F. вирі́шувала	PL. вирі́шували

висо́кий ADJECTIVE

❶ **high, tall** Мені́ подо́бається ця висо́ка га́рна буді́вля. *I like this tall, beautiful building.*

❷ **tall** Висо́ка люди́на у пальті́ – це мій дя́дько. *The tall person in the coat is my uncle.*

M. висо́кий	NT. висо́ке
F. висо́ка	PL. висо́кі

ви́ставка NOUN

exhibition Макси́м та Світла́на йдуть на ви́ставку у се́реду. *Maxim and Svitlana are going to the exhibition on Wednesday.*

	SING.	PL.
NOM.	ви́ставка	ви́ставки
GEN.	ви́ставки	ви́ставок
DAT.	ви́ставці	ви́ставкам
ACC.	ви́ставку	ви́ставки
INSTR.	ви́ставкою	ви́ставками
PREP.	ви́ставці	ви́ставках
VOC.	ви́ставко	ви́ставки

ви́хід NOUN

exit Скажі́ть, будь ла́ска, де є ви́хід? *Excuse me, where is the exit?* (*antonym:* вхід)

	SING.	PL.
NOM.	ви́хід	ви́ходи
GEN.	ви́ходу	ви́ходів
DAT.	ви́ходу	ви́ходам
ACC.	ви́хід	ви́ходи
INSTR.	ви́ходом	ви́ходами
PREP.	ви́ході	ви́ходах
VOC.	ви́ходе	ви́ходи

вівто́рок NOUN

Tuesday Ви навча́єтесь у вівто́рок? *Do you have classes on Tuesday?* **у/в вівто́рок** *on Tuesday* **щовівто́рка** *on Tuesdays*

	SING.	PL.
NOM.	вівто́рок	вівто́рки
GEN.	вівто́рка	вівто́рків
DAT.	вівто́рку	вівто́ркам
ACC.	вівто́рок	вівто́рки
INSTR.	вівто́рком	вівто́рками
PREP.	вівто́рку	вівто́рках
VOC.	вівто́рку	вівто́рки

від PREPOSITION

from Від Ха́ркова до Льво́ва 1000 кіло́метрів. *From Kharkiv to Lviv, it's 1,000 kilometers.*

відо́мий ADJECTIVE

famous Це ду́же відо́мий худо́жник. *This is a very well-known artist.*

M. відо́мий	NT. відо́ме
F. відо́ма	PL. відо́мі

відповіда́ти IMPERFECTIVE VERB

answer, reply Андрі́й завжди́

відповіда́є під час уро́ків. *Andriy always answers in class.* (*antonym:* запи́тувати; *perfective verb:* відповісти́)

PRES.	відповіда́ю	відповіда́ємо
	відповіда́єш	відповіда́єте
	відповіда́є	відповіда́ють
PAST	M. відповіда́в	NT. відповіда́ло
	F. відповіда́ла	PL. відповіда́ли

ві́дповідь NOUN

answer, reply У нас нема́ ві́дповіді на це запита́ння. *We do not have the answer to this question.* (*antonym:* пита́ння)

	SING.	PL.
NOM.	ві́дповідь	ві́дповіді
GEN.	ві́дповіді	ві́дповідей
DAT.	ві́дповіді	ві́дповідям
ACC.	ві́дповідь	ві́дповіді
INSTR.	ві́дповіддю	ві́дповідями
PREP.	ві́дповіді	ві́дповідях
VOC.	ві́дповіде	ві́дповіді

відповісти́ PERFECTIVE VERB

answer, reply Я не мо́жу відповісти́ вам за́раз. *I cannot answer you now.* (*antonym:* запита́ти; *imperfective verb:* відповіда́ти)

⚠ Some speakers stress the penultimate syllable: відпові́сти

FUT.	я відпові́м	ми відповімо́
	ти відповіси́	ви відповісте́
	він відпові́сть	вони́ відповідя́ть
PAST	M. відпові́в	NT. відповіло́
	F. відповіла́	PL. відповіли́

відпочива́ти IMPERFECTIVE VERB

❶ **relax, rest** У неді́лю я відпочива́в удо́ма. *On Sunday, I relaxed at home.*

❷ **take a vacation** Влі́тку ми відпочива́ли на мо́рі. *In the summer, we went to the sea on vacation.* (*perfective verb:* відпочи́ти)

PRES.	відпочива́ю	відпочива́ємо
	відпочива́єш	відпочива́єте
	відпочива́є	відпочива́ють
PAST	M. відпочива́в	NT. відпочива́ло
	F. відпочива́ла	PL. відпочива́ли

відчи́нений ADJECTIVE

open Чому́ всі две́рі відчи́нені? *Why are all the doors open?* (*antonym:* зачи́нений)

M. відчи́нений	NT. відчи́нене
F. відчи́нена	PL. відчи́нені

відчини́ти PERFECTIVE VERB

open Відчини́ть две́рі, будь ла́ска. *Open the door, please.* (*antonym:* зачини́ти; *imperfective verb:* відчиня́ти)

FUT.	я відчиню́	ми відчи́нимо
	ти відчи́ниш	ви відчи́ните
	він відчи́нить	вони́ відчи́нять
PAST	M. відчини́в	NT. відчини́ло
	F. відчини́ла	PL. відчини́ли
IMPER.	SG. відчини́	PL. відчині́ть

відчиня́ти IMPERFECTIVE VERB

open Я не бу́ду відчиня́ти вікно́, бо на ву́лиці ду́же хо́лодно. *I will not open the window because it is very cold outside.* (*antonym:* зачиня́ти; *perfective verb:* відчини́ти)

PRES.	я відчиня́ю	ми відчиня́ємо
	ти відчиня́єш	ви відчиня́єте
	він відчиня́є	вони́ відчиня́ють
PAST	M. відчиня́в	NT. відчиня́ло
	F. відчиня́ла	PL. відчиня́ли

відчува́ти IMPERFECTIVE VERB

feel – Як ви відчува́єте себе́ сього́дні? – Дя́кую до́бре. *How do you feel today? – Fine, thank you.* (*perfective verb:* відчу́ти)

⚠ Notice that this verb is normally followed by себе́ in Ukrainian, literally 'feel oneself.'

PRES.	я відчува́ю	ми відчува́ємо
	ти відчува́єш	ви відчува́єте
	він відчува́є	вони́ відчува́ють
PAST	M. відчува́в	NT. відчува́ло
	F. відчува́ла	PL. відчува́ли

ві́за NOUN

visa Вони́ вже отри́мали ві́зу? *Have they already gotten a visa?*

	SING.	PL.
NOM.	ві́за	ві́зи
GEN.	ві́зи	віз
DAT.	ві́зі	ві́зам
ACC.	ві́зу	ві́зи
INSTR.	ві́зою	ві́зами
PREP.	ві́зі	ві́зах
VOC.	ві́зо	ві́зи

вікно́ NOUN

window Ви зачини́ли усі́ ві́кна? *Did you close all the windows?*

	SING.	PL.
NOM.	вікно́	ві́кна
GEN.	вікна́	ві́кон
DAT.	вікну́	ві́кнам
ACC.	вікно́	ві́кна
INSTR.	вікно́м	ві́кнами
PREP.	вікні́	ві́кнах
VOC.	вікно́	ві́кна

ві́льний ADJECTIVE

free Що ви лю́бите роби́ти у ві́льний час? *What do you like to do in your spare time?*

M.	ві́льний	NT.	ві́льне
F.	ві́льна	PL.	ві́льні

він PRONOUN, MASCULINE, NOMINATIVE

❶ *(animate)* **he** Він розмовля́є украї́нською? *Does he speak Ukrainian?* **він... he is...** Він лі́кар. *He is a doctor.*

❷ *(inanimate)* **it** – Ми купи́ли буди́нок у ве́ресні. – Він дороги́й? *We bought a house in September. – Was it expensive?* **він...** *it is...* – Де сті́лець? – Він тут. *Where is the chair? – It's here.*

NOM.	він	ACC.	його́
GEN.	його́	INSTR.	ним
DAT.	йому́	PREP.	ньо́му

ві́сім NUMBER

eight Я ме́шкав у Ки́єві ві́сім мі́сяців. *I lived in Kyiv for eight months.*

вісімдеся́т NUMBER

eighty Як сказа́ти "вісімдеся́т" англі́йською? *How do you say "восемьдесят" in English?*

вісімна́дцять NUMBER

eighteen Анто́ну вісімна́дцять ро́ків. *Anton is eighteen years old.*

вісімсо́т NUMBER

eight hundred Мені́ потрі́бно вісімсо́т гри́вень. *I need eight hundred hryvnias.*

вла́сник NOUN

owner Вла́сник фі́рми америка́нець. *The owner of the company is American.*

	SING.	PL.
NOM.	вла́сник	вла́сники
GEN.	вла́сника	вла́сників
DAT.	вла́снику	вла́сникам
ACC.	вла́сника	вла́сників
INSTR.	вла́сником	вла́сниками
PREP.	вла́снику	вла́сниках
VOC.	вла́снику	вла́сники

влі́тку ADVERB

in the summer Влі́тку тут не ду́же спеко́тно. *It's not very hot in the summer here.* (*antonym:* взи́мку)

вночí (*see* **уночí**)

водá NOUN

water Водá – це життя́. *Water is life.*

	SING.	PL.
NOM.	водá	вóди
GEN.	води́	вод
DAT.	воді́	вóдам
ACC.	вóду	вóди
INSTR.	водóю	вóдами
PREP.	воді́	вóдах
VOC.	вóдо	вóди

вокзáл NOUN

train station Я чекáтиму тебé на вокзáлі. *I will wait for you at the station.*

⚠ See the note for продóвжувати for information on conjugating the future tense of imperfect verbs in Ukrainian.

	SING.	PL.
NOM.	вокзáл	вокзáли
GEN.	вокзáлу	вокзáлів
DAT.	вокзáлу	вокзáлам
ACC.	вокзáл	вокзáли
INSTR.	вокзáлом	вокзáлами
PREP.	вокзáлі	вокзáлах
VOC.	вокзáле	вокзáли

волейбóл NOUN, UNCOUNTABLE

volleyball Ми грáємо у волейбóл у сéреду. *We play volleyball on Wednesday.*

	SING.		SING.
NOM.	волейбóл	INSTR.	волейбóлом
GEN.	волейбóлу	PREP.	волейбóлі
DAT.	волейбóлу	VOC.	волейбóле
ACC.	волейбóл		

вонá PRONOUN, FEMININE, NOMINATIVE

❶ *(animate)* **she** Коли́ вонá прийшлá? *When did she come?* **вонá...** *she is...* Вонá америкáнка. *She is American.*

❷ *(inanimate)* **it** – Скажíть, будь лáска, де бібліотéка? – Вонá неподалíк музéю. *Excuse me, please. Where is the library? – It is not far from the museum.* **вонá...** *it is...* Ви бáчили автíвку Володи́мира? Вонá вели́ка? *Have you seen Volodymyr's car? Is it big?*

NOM.	вонá	ACC.	її́
GEN.	її́	INSTR.	нéю
DAT.	їй	PREP.	ній

вони́ PRONOUN, PLURAL, NOMINATIVE

❶ *(animate)* **they** Ми не бýдемо чекáти на Світлáну та Íгоря. Вони́ завжди́ запíзнюються! *We will not wait for Svitlana and Igor. They are always late!* **вони́...** *they are...* Вони́ вáші студéнти. Ви мáєте знáти, де вони́. *They are your students. You should know where they are.*

❷ *(inanimate)* **they** – Це столи́ з Ітáлії? – Так, вони́ кóштують дýже дóрого. *Are these chairs from Italy? – Yes, they are very expensive.* **вони́...** *they are...* Тобí подóбаються ці сýмки? – Так, вони́ гáрні. *Do you like these bags? – Yes, they are beautiful.*

NOM.	вони́	ACC.	їх
GEN.	їх	INSTR.	ни́ми
DAT.	їм	PREP.	них

вонó PRONOUN, NEUTER, NOMINATIVE

(inanimate) **it** Якé гáрне пальтó! Вонó менí дýже подóбається! *What a beautiful coat! I really like it!* **вонó... it is...** – Подиви́сь, якé мóре! – Так, вонó гáрне. *Look at that sea! – Yes, it's beautiful.*

NOM.	воно́	ACC.	його́
GEN.	його́	INSTR.	ним
DAT.	йому́	PREP.	ньо́му

восени́ ADVERB

in the autumn, in the fall В Украї́ні студе́нти почина́ють навча́тися восени́. *In Ukraine, students begin to study in the fall.* (*antonym:* навесні́)

впра́ва NOUN

exercise Ви зроби́ли усі́ впра́ви? *Have you done all the exercises?*

	SING.	PL.
NOM.	впра́ва	впра́ви
GEN.	впра́ви	впра́в
DAT.	впра́ві	впра́вам
ACC.	впра́ву	впра́ви
INSTR.	впра́вою	впра́вами
PREP.	впра́ві	впра́вах
VOC.	впра́во	впра́ви

вра́нці (*see* **ура́нці**)

все (*see* **усе́**)

всі (*see* **усі́**)

втоми́тися PERFECTIVE VERB

get tired Я хо́чу спа́ти. Я ду́же втоми́вся. *I want to sleep. I am very tired.* (*imperfective verb:* томи́тися)

⚠ This is a reflexive verb, which ends in -ся (and can also be -сь, as seen in several example sentences throughout the dictionary.)

FUT.	вто́млююся	вто́млюємося
	вто́мишся	вто́млюєтесь
	вто́млюється	вто́млюються
PAST	M. втоми́вся	NT. втоми́лося
	F. втоми́лася	PL. втоми́лися

ву́лиця NOUN

street Ви зна́єте, де розташо́вана ву́лиця Хреща́тик? *You know, where Khreshchatyk Street is?*

	SING.	PL.
NOM.	ву́лиця	ву́лиці
GEN.	ву́лиці	ву́лиць
DAT.	ву́лиці	ву́лицям
ACC.	ву́лицю	ву́лиці
INSTR.	ву́лицею	ву́лицями
PREP.	ву́лиці	ву́лицях
VOC.	ву́лице	ву́лиці

вхід NOUN

entrance Вхід ліво́руч від де́рева. *The entrance is to the left of the tree.* (*antonym:* ви́хід)

	SING.	PL.
NOM.	вхід	вхо́ди
GEN.	вхо́ду	вхо́дів
DAT.	вхо́ду	вхо́дам
ACC.	вхід	вхо́ди
INSTR.	вхо́дом	вхо́дами
PREP.	вхо́ді	вхо́дах
VOC.	вхо́де	вхо́ди

вче́ний NOUN

scientist Мій ба́тько – вче́ний. *My father is a scientist.*

⚠ This word is techincally an adjective (being used as a noun), which is why its case endings are unlike those of other nouns. You will learn more about adjective case declensions at the A2 level.

	SING.	PL.
NOM.	вче́ний	вче́ні
GEN.	вче́ного	вче́них
DAT.	вче́ному	вче́ним
ACC.	вче́ний	вче́ні
INSTR.	вче́ним	вче́ними
PREP.	вче́ному	вче́них

вчи́тель NOUN

(male) **teacher** Їх вчи́тель іспа́нець. *Their teacher is a Spaniard.* (*synonym:* виклада́ч)

	SING.	PL.
NOM.	вчи́тель	вчителі̂
GEN.	вчи́теля	вчителі̂в
DAT.	вчи́телю	вчителя́м
ACC.	вчи́теля	вчителі̂в
INSTR.	вчи́телем	вчителя́ми
PREP.	вчи́телі	вчителя́х
VOC.	вчи́телю	вчителі̂

вчи́телька NOUN

(female) **teacher** Ва́ша вчи́телька з А́нглії? *Is your teacher from England?* (*synonym:* виклада́чка)

	SING.	PL.
NOM.	вчи́телька	вчи́тельки
GEN.	вчи́тельки	вчи́тельок
DAT.	вчи́тельці	вчи́телькам
ACC.	вчи́тельку	вчи́тельок
INSTR.	вчи́телькою	вчи́тельками
PREP.	вчи́тельці	вчи́тельках
VOC.	вчи́телько	вчи́тельки

вчо́ра ADVERB

yesterday Вчо́ра Марі́я купи́ла нови́й телефо́н. *Yesterday Maria bought a new phone.* (*antonym:* за́втра) **вчо́ра ввé́чері** *last night*

Гг *Гг* *Гг*

газéта NOUN

newspaper Хто читáє газéти сьогóдні? *Who reads newspapers these days?*

	SING.	PL.
NOM.	газéта	газéти
GEN.	газéти	газéт
DAT.	газéті	газéтам
ACC.	газéту	газéти
INSTR.	газéтою	газéтами
PREP.	газéті	газéтах
VOC.	газéто	газéти

гáрний ADJECTIVE

beautiful – Якúй гáрний годúнник! – Так. І він дóбре працю́є. *What a beautiful watch! – Yes, and it works really well.*

M.	гáрний	NT.	гáрне
F.	гáрна	PL.	гáрні

гаря́чий ADJECTIVE

hot Оберéжно, кáва дýже гаря́ча! *Careful! The coffee is very hot!*

M.	гаря́чий	NT.	гаря́че
F.	гаря́ча	PL.	гаря́чі

⚠ This word is used for something that is hot to the touch (food, drink, the stove, etc.), but not weather. (*compare:* спекóтно)

географíчний ADJECTIVE

geographical Це є географíчна мáпа Амéрики. *This is a map of America.*

M.	географíчний	NT.	географíчне
F.	географíчна	PL.	географíчні

гість NOUN

guest Гóсті не хóчуть ї́сти. *The guests do not want to eat.* **у гóсті** (verb of motion +) *on a visit* У п'я́тницю ми поḯдемо в гóсті до дру́зів. *On Friday, we will go visit friends (lit. go on a visit to friends).*

	SING.	PL.
NOM.	гість	гóсті
GEN.	гóстя	гостéй
DAT.	гóстю	гостя́м
ACC.	гóстя	гостéй
INSTR.	гóстем	гостя́ми
PREP.	гóсті	гостя́х
VOC.	гóстю	гóсті

гітáра NOUN

guitar Ви чáсто грáєте на гітáрі? *Do you often play the guitar?*

	SING.	PL.
NOM.	гітáра	гітáри
GEN.	гітáри	гітáр
DAT.	гітáрі	гітáрам
ACC.	гітáру	гітáри
INSTR.	гітáрою	гітáрами
PREP.	гітáрі	гітáрах
VOC.	гітáро	гітáри

говорúти IMPERFECTIVE VERB

speak, talk Вонá завждú гóлосно говóрить. *She always speaks loudly.* (*synonym:* розмовля́ти; *perfective verb:* поговорúти)

PRES.	я говорю́	ми говóримо
	ти говóриш	ви говóрите
	він говóрить	вонú говóрять
PAST	M. говорúв	NT. говорúло
	F. говорúла	PL. говорúли
IMPER.	SG. говорú	PL. говорíть

годúна NOUN

❶ **hour** Я гуля́в дві годúни. *I walked for two hours.*

❷ **o'clock Зáраз __ годи́на.** *It's __ o'clock.* Зáраз одинáдцята годи́на рáнку. *It is eleven o'clock in the morning.* **о __ годи́ні** *at __ o'clock* Я ходжу́ на робóту о вóсьмій годи́ні рáнку. *I go to work at eight in the morning.*

⚠ The hour is expressed with ordinal numbers in Ukrainian. Ordinal numbers are not covered at the A1 level, but, throughout this dictionary, you will see some examples that specify time. When you state the time now, it is in the nominative. When you specify a time, (at __ o'clock), it is prepositional. (*see also:* хвили́на)

	SING.	PL.
NOM.	годи́на	годи́ни
GEN.	годи́ни	годи́н
DAT.	годи́ні	годи́нам
ACC.	годи́ну	годи́ни
INSTR.	годи́ною	годи́нами
PREP.	годи́ні	годи́нах
VOC.	годи́но	годи́ни

годи́нник NOUN

clock, watch Де ви купи́ли свій годи́нник? *Where did you buy your watch?*

	SING.	PL.
NOM.	годи́нник	годи́нники
GEN.	годи́нника	годи́нників
DAT.	годи́ннику	годи́нникам
ACC.	годи́нник	годи́нники
INSTR.	годи́нником	годи́нниками
PREP.	годи́ннику	годи́нниках
VOC.	годи́ннику	годи́нники

головá NOUN

head Я намалювáв люди́ну, алé в нéї ду́же вели́ка головá. *I drew a man, but he has a very big head.*

	SING.	PL.
NOM.	головá	гóлови
GEN.	голови́	голі̂в
DAT.	голові̂	гóловам
ACC.	гóлову	гóлови
INSTR.	головóю	гóловами
PREP.	голові̂	гóловах
VOC.	гóлово	гóлови

гóлосно ADVERB

loudly Надвóрі гóлосно грáла му́зика. *Outside, loud music was playing.* (*antonym:* ти́хо)

горá NOUN

mountain Ця горá називáється Еверéст. *This mountain is called Everest.*

	SING.	PL.
NOM.	горá	гóри
GEN.	гори́	гір
DAT.	горі̂	гóрам
ACC.	гóру́	гóри
INSTR.	горóю	гóрами
PREP.	горі̂	гóрах
VOC.	гóро	гóри

готéль NOUN

hotel У нас був гáрний нóмер у готéлі. *We had a nice room in the hotel.*

	SING.	PL.
NOM.	готéль	готéлі
GEN.	готéлю	готéлів
DAT.	готéлю	готéлям
ACC.	готéль	готéлі
INSTR.	готéлем	готéлями
PREP.	готéлі	готéлях
VOC.	готéлю	готéлі

готóвий ADJECTIVE

ready Михáйле, ви готóві до урóку? *Mikhailo, are you ready for the lesson?*

M.	готóвий	NT.	готóве
F.	готóва	PL.	готóві

готува́ти IMPERFECTIVE VERB

cook Я готу́ю вече́рю щодня́. *I cook dinner every day.* (*perfective verb:* приготува́ти)

PRES.	я готу́ю	ми готу́ємо
	ти готу́єш	ви готу́єте
	він готу́є	вони́ готу́ють
PAST	M. готува́в	NT. готува́ло
	F. готува́ла	PL. готува́ли

гра NOUN

game Це ду́же весе́ла гра! *This is a very fun game!*

	SING.	PL.
NOM.	гра	ігри
GEN.	гри	ігор
DAT.	грі	іграм
ACC.	гру	ігри
INSTR.	гро́ю	іграми
PREP.	грі	іграх
VOC.	гро	ігри

грама́тика NOUN

grammar Усі ка́жуть, що украї́нська грама́тика важка́. *Everyone says that Ukranian grammar is difficult.*

гра́ти IMPERFECTIVE VERB

❶ **play** Ти ча́сто гра́єш із соба́кою? *Do you often play with the dog?*

❷ (+ у/в) **play** (a sport) Рані́ше я грав у баскетбо́л. *I used to play basketball.*

❸ (+ на) **play** (an instrument) Моя́ сестра́ гра́є на піані́но. *My sister plays the piano.* (*perfective verb:* зігра́ти)

PRES.	я гра́ю	ми гра́ємо
	ти гра́єш	ви гра́єте
	він гра́є	вони́ гра́ють
PAST	M. грав	NT. гра́ло
	F. гра́ла	PL. гра́ли

гри́вня NOUN

hryvnia Мій телефо́н ко́штує п'ятна́дцять ти́сяч гри́вень. *My phone cost fifteen thousand hryvnias.*

	SING.	PL.
NOM.	гри́вня	гри́вні
GEN.	гри́вні	гри́вень
DAT.	гри́вні	гри́вням
ACC.	гри́вню	гри́вні
INSTR.	гри́внею	гри́внями
PREP.	гри́вні	гри́внях
VOC.	гри́вне	гри́вні

гро́ші NOUN, PLURAL

money Ти не ба́чив моїх грошей́? *Have you seen my money by any chance?*

▲ Гро́ші is always plural.

гру́день NOUN

December Гру́день – це мій улю́блений мі́сяць. *December is my favorite month.*

	SING.	PL.
NOM.	гру́день	гру́дні
GEN.	гру́дня	гру́днів
DAT.	гру́дню	гру́дням
ACC.	гру́день	гру́дні
INSTR.	гру́днем	гру́днями
PREP.	гру́дні	гру́днях
VOC.	гру́дню	гру́дні

гру́па NOUN

group У вас вели́ка гру́па? *Do you have a large group?*

	SING.	PL.
NOM.	гру́па	гру́пи
GEN.	гру́пи	груп
DAT.	гру́пі	гру́пам
ACC.	гру́пу	гру́пи
INSTR.	гру́пою	гру́пами
PREP.	гру́пі	гру́пах
VOC.	гру́по	гру́пи

гуля́ти IMPERFECTIVE VERB

walk, go for a walk, hang out, spend an enjoyable time Після уро́ків ми підемо гуля́ти. *After school, we will go for a walk.* (*perfective verb:* погуля́ти)

PRES.	я гуля́ю	ми гуля́ємо
	ти гуля́єш	ви гуля́єте
	він гуля́є	вони́ гуля́ють
PAST	M. гуля́в	NT. гуля́ло
	F. гуля́ла	PL. гуля́ли

гу́мор NOUN, UNCOUNTABLE

humor Ви розумієте англі́йський гу́мор? *Do you understand English humor?*

	SING.		SING.
NOM.	гу́мор	INSTR.	гу́мором
GEN.	гу́мору	PREP.	гу́морі
DAT.	гу́мору	VOC.	гу́море
ACC.	гу́мор		

гурто́житок NOUN

dormitory Ви ме́шкаєте у гурто́житку? *Do you live in a dormitory?*

	SING.	PL.
NOM.	гурто́житок	гурто́житки
GEN.	гурто́житку	гурто́житків
DAT.	гурто́житку	гурто́житкам
ACC.	гурто́житок	гурто́житки
INSTR.	гурто́житком	гурто́житками
PREP.	гурто́житку	гурто́житках
VOC.	гурто́житку	гурто́житки

Дд *Дд* *Дд*

дава́й(те) PARTICLE
(+ 1st-person plural future perfective verb) **let's...** Дава́йте пі́демо у кіно́! *Let's go to the cinema!*

дава́ти IMPERFECTIVE VERB
give Ма́ти щодня́ дає́ гро́ші си́ну. *The mom gives her son money every day.* (*compare:* дарить; *antonym:* бра́ти; *perfective verb:* да́ти)

PRES.	я даю́	ми даємо́
	ти дає́ш	ви дасте́
	він дає́	вони́ даю́ть
PAST	M. дава́в	NT. дава́ло
	F. дава́ла	PL. дава́ли
IMPER.	SG. дава́й	PL. дава́йте

давно́ ADVERB
long ago, a long time ago Ю́рій давно́ купи́в авті́вку. *Yuri bought the car a long time ago.* Я давно́ не ба́чив її́. *I haven't seen her for a long time.*

дале́ко ADVERB
far (away), distant Вади́м живе́ дале́ко. *Vadim lives far away.* (antonyms: бли́зько, неподалі́к) **дале́ко (від)** (+ *genitive*) *far from* Аме́рика дале́ко від Украї́ни. *America is far from Ukraine.*

дарува́ти IMPERFECTIVE VERB
give (as a gift) Ми завжди́ дару́ємо кві́ти жі́нка́м. *We always give flowers to women.* (*compare:* дава́ти; *perfective verb:* подарува́ти)

PRES.	я дару́ю	ми дару́ємо
	ти дару́єш	ви дару́єте
	він дару́є	вони́ дару́ють
PAST	M. дарува́в	NT. дарува́ло
	F. дарува́ла	PL. дарува́ли

да́ти PERFECTIVE VERB
give Ми дали́ ключі́ сестрі́. *We gave the keys to my sister.* (*compare:* подарува́ти; *antonym:* узя́ти; *imperfective verb:* дава́ти)

FUT.	я дам	ми дамо́
	ти даси́	ви дасте́
	він дасть	вони́ даду́ть
PAST	M. дав	NT. дало́
	F. дала́	PL. дали́

два NUMBER
two В Оста́па було́ два сини́. *Ostap had two sons.*

⚠ Два is used before a masculine or neuter noun, while the form дві is used before a feminine noun.

M. два NT. два F. дві

два́дцять NUMBER
twenty Ната́ші два́дцять ро́ків. *Natasha is twenty.*

двана́дцять NUMBER
twelve О́льга почала́ вивча́ти англі́йську мо́ву у двана́дцять ро́ків. *Olga began to learn English at the age of twelve.*

две́рі NOUN, PLURAL
door Не зачиня́й две́рі, будь ла́ска. *Don't close the door, please.*

⚠ This word is always plural in Ukrainian.

NOM. PL. две́рі	INSTR. PL. двери́ма

GEN.	двере́й	PREP.	две́рях
DAT.	две́рям	VOC.	две́рі
ACC.	две́рі		

дві́сті NUMBER

two hundred Два столі́ття – це дві́сті ро́ків. *Two centuries is two hundred years.*

двічі ADVERB

twice Я був в Аме́риці двічі. *I've been to America twice.*

де ADVERB, CONJUNCTION

❶ ADVERB

where Де ва́ші брати́? *Where are your brothers?*

❷ CONJUNCTION

where Ми не зна́ємо, де живе́ Лари́са. *We do not know where Larisa lives.*

дев'яно́сто NUMBER

ninety Йому́ вже дев'яно́сто ро́ків?! *Is he ninety years old?!*

дев'ятна́дцять NUMBER

nineteen Я купи́ла авті́вку в дев'ятна́дцять ро́ків. *I bought a car at the age of 19.*

де́в'ять NUMBER

nine Ната́лія не була́ в Украї́ні де́в'ять ро́ків. *Natalia has not been in Ukraine for nine years.*

дев'ятсо́т NUMBER

nine hundred Це ко́штує дев'ятсо́т гри́вень? *Does this cost nine hundred hryvnias?*

день NOUN

day Понеді́лок це пе́рший день ти́жня. *Monday is the first day of the week.* **Га́рного дня!** *Have a good day!*
(*compare:* уде́нь; *antonym:* ніч)

	SING.	PL.
NOM.	день	дні
GEN.	дня	днів
DAT.	дню	дням
ACC.	день	дні
INSTR.	днем	дня́ми
PREP.	дні	днях
VOC.	дню	дні

де́рево NOUN

tree У саду́ є вели́ке де́рево. *There is a big tree in the garden.*

	SING.	PL.
NOM.	де́рево	дере́ва
GEN.	де́рева	дере́в
DAT.	де́реву	дере́вам
ACC.	де́рево	дере́ва
INSTR.	де́ревом	дере́вами
PREP.	де́реві	дере́вах
VOC.	де́рево	дере́ва

держа́ва NOUN

(nation) **state, country** Ця держа́ва розташо́вана на пі́вдні Євро́пи. *This state is located in the south of Europe.* (*synonym:* краї́на)

	SING.	PL.
NOM.	держа́ва	держа́ви
GEN.	держа́ви	держа́в
DAT.	держа́ві	держа́вам
ACC.	держа́ву	держа́ви
INSTR.	держа́вою	держа́вами
PREP.	держа́ві	держа́вах
VOC.	держа́во	держа́ви

де́сять NUMBER

ten Ти каза́в це вже де́сять разі́в. *You've already said that ten times.*

деше́вий ADJECTIVE

cheap Ми ма́ємо ду́же деше́вий Інтерне́т. *We have a very cheap Internet.*

M.	деше́вий	NT.	деше́ве
F.	деше́ва	PL.	деше́ві

де́шево ADVERB

cheaply – Це ко́штує до́рого? –

Ні, ду́же де́шево! *Does it cost a lot? – No, it's very cheap!* (*antonym:* до́рого)

дивитися IMPERFECTIVE VERB

❶ **watch** Уве́чері ви ди́витися телеві́зор? *In the evening, will you be watching TV?*

❷ (*+ на + accusative case*) **look at** Чому́ ти так ди́вишся на ме́не? *Why are you looking at me like that?* (*perfective verb:* подиви́тися)

PRES.	я дивлю́ся	ми ди́вимося
	ти ди́вишся	ви ди́витеся
	він ди́виться	вони́ ди́вляться
PAST	M. диви́вся	NT. диви́лося
	F. диви́лася	PL. диви́лися
IMPER.	SG. диви́ся	PL. диві́ться

дитя́чий ADJECTIVE

children's Ви ма́єте дитя́чу кімна́ту? *Do you have a children's room?*

M. дитя́чий	NT. дитя́че
F. дитя́ча	PL. дитя́чі

ді́вчина NOUN

❶ **girl, young woman** Ця молода́ ді́вчина ви́рішила ста́ти акто́ркою. *This young girl has decided to become an actress.*

❷ **girlfriend** У ньо́го є ді́вчина? *Does he have a girlfriend?* (*synonym:* по́друга)

	SING.	PL.
NOM.	ді́вчина	дівча́та
GEN.	ді́вчини	дівча́т
DAT.	ді́вчині	дівча́там
ACC.	ді́вчину	дівча́т
INSTR.	ді́вчиною	дівча́тами
PREP.	ді́вчині	дівча́тах
VOC.	ді́вчино	дівча́та

ді́вчинка NOUN

girl, little girl У кла́сі бага́то ді́вчинок. *There are a lot of girls in the class.* (*antonym:* хло́пчик)

	SING.	PL.
NOM.	ді́вчинка	ді́вчинки
GEN.	ді́вчинки	ді́вчинок
DAT.	ді́вчинці	ді́вчинкам
ACC.	ді́вчинку	ді́вчинок
INSTR.	ді́вчинкою	ді́вчинками
PREP.	ді́вчинці	ді́вчинках
VOC.	ді́вчинко	ді́вчинки

діду́сь NOUN

grandfather, grandpa Діду́сь подарува́в ону́ку авті́вку. *The grandfather gave his grandson a car.*

	SING.	PL.
NOM.	діду́сь	дідусі́
GEN.	дідуся́	дідусі́в
DAT.	дідусю́	дідуся́м
ACC.	дідуся́	дідусі́в
INSTR.	дідусе́м	дідуся́ми
PREP.	дідусі́	дідуся́х
VOC.	діду́сю	дідусі́

ді́ти NOUN, PLURAL

children Ді́ти лю́блять гра́ти у саду́. *Kids love to play in the garden.*

для PREPOSITION

(*+ genitive case*) **for** У ме́не є до́бра новина́ для те́бе! *I have good news for you!*

дня ADVERB

p.m., in the afternoon Та́то приї́хав о тре́тій годи́ні дня. *Dad arrived at 3 p.m.*

⚠ Дня is used for 12 p.m. - 4 p.m. (*compare:* ра́нку, ве́чора, но́чі)

до PREPOSITION

❶ (*+ genitive case*) **until** Я працюва́тиму до ве́чора. *I will*

work until evening.
❷ *(+ genitive case)* **to, toward** Ми прийдемо до вас улітку. *We will come to you in the summer.*

до побáчення INTERJECTION
goodbye До побáчення, нáші дорогí дрýзі! *Goodbye, dear friends!* (*synonym:* всьогó дóброго; *antonym:* здрáстуйте)

добрáніч INTERJECTION
good night Я йду спáти. Добрáніч! *I'm going to bed. Good night!*

дóбре ADVERB
well, fine Івáнка дýже дóбре співáє. *Ivanka sings very well.* (*antonym:* погáно)

добри́день INTERJECTION
good afternoon

дóбрий ADJECTIVE
❶ **good** У тéбе дóбрий телефóн? *Do you have a good phone?* (*antonym:* погáний)
❷ *(in greetings)* **good** Дóбрий рáнок, пáне Петрéнко! *Good morning, Mr. Petrenko!* **Дóбрий рáнок!** *Good morning!* **Дóбрий вéчір!** *Good evening!* **Всьогó дóброго!** *Goodbye!*
❸ **kind, good** У Світлáни дýже дóбрий собáка. *Svitlana has a very good dog.*

M.	дóбрий	NT.	дóбре
F.	дóбра	PL.	дóбрі

дóвго ADVERB
long, for a long time Ти дóвго жив у Фрáнції? *Did you live in France for a long time?*

додóму ADVERB
home – Куди́ ти йдеш? – Я йду додóму. *Where are you going? – I'm going home.*

докумéнт NOUN
document Ти вже подиви́вся мої́ докумéнти? *Have you already looked at my documents?*

	SING.	PL.
NOM.	докумéнт	докумéнти
GEN.	докумéнта	докумéнтів
DAT.	докумéнту	докумéнтам
ACC.	докумéнт	докумéнти
INSTR.	докумéнтом	докумéнтами
PREP.	докумéнті	докумéнтах
VOC.	докумéнте	докумéнти

домогосподáрка NOUN
housewife Моя́ сестрá – домогосподáрка. *My sister is a housewife.*

	SING.	PL.
NOM.	...господáрка	...господáрки
GEN.	...господáрки	...господáрок
DAT.	...господáрці	...господáркам
ACC.	...господáрку	...господáрок
INSTR.	...господáркою	...господáрками
PREP.	...господáрці	...господáрках
VOC.	...господáрко	...господáрки

дóнька NOUN
daughter Моя́ дóнька навчáється в університéті. *My daughter studies in university.* (*antonym:* син)

	SING.	PL.
NOM.	дóнька	дóньки
GEN.	дóньки	дóньок
DAT.	дóньці	дóнькам
ACC.	дóньку	дóньок
INSTR.	дóнькою	дóньками
PREP.	дóньці	дóньках
VOC.	дóнько	дóньки

допомагáти IMPERFECTIVE VERB
help, assist Я завжди́ допомагáю своїм батькáм. *I always help my parents.* (*perfective verb:* допомогти́)

PRES.	допомага́ю	допомага́ємо
	допомага́єш	допомага́єте
	допомага́є	допомага́ють
PAST	M. допомага́в	NT. допомага́ло
	F. допомага́ла	PL. допомага́ли

допомогти́ PERFECTIVE VERB

help, assist Ви мо́жете допомогти́ мені́? *Could you help me?* (*imperfective verb:* допомага́ти)

FUT.	допоможу́	допомо́жемо
	допомо́жеш	допомо́жете
	допомо́же	допомо́жуть
PAST	M. допомі́г	NT. допомогло́
	F. допомогла́	PL. допомогли́
IMPER.	SG. допоможи́	PL. допоможі́ть

доро́га NOUN

road, way Хло́пчику, ти зна́єш доро́гу додо́му? *Young man, do you know your way home?*

	SING.	PL.
NOM.	доро́га	доро́ги
GEN.	доро́ги	дорі́г
DAT.	доро́зі	доро́гам
ACC.	доро́гу	доро́ги
INSTR.	доро́гою	доро́гами
PREP.	доро́зі	доро́гах
VOC.	доро́го	доро́ги

дороги́й ADJECTIVE

❶ **expensive** Це дорога́ кварти́ра? *Is it an expensive apartment?*

❷ **dear** Ви наш дороги́й гість. *You are our dear guest.*

Дороги́й __, *(addressing an informal letter) Dear __,*

M.	дороги́й	NT.	дороге́
F.	дорога́	PL.	дорогі́

до́рого ADVERB

expensively Буди́нки у Ло́ндоні ко́штують до́рого. *Houses in London are expensive.* (*antonym:* де́шево)

дощ NOUN

rain Сього́дні весь день іде́ дощ. *It has been raining all day.*

	SING.	PL.
NOM.	дощ	дощі́
GEN.	дощу́	дощі́в
DAT.	дощу́	доща́м
ACC.	дощ	дощі́
INSTR.	доще́м	доща́ми
PREP.	дощі́	доща́х
VOC.	до́щу	дощі́

друг NOUN

(male) **friend** Мій друг гово́рить ні́мецькою. *My friend speaks German.*

	SING.	PL.
NOM.	друг	дру́зі
GEN.	дру́га	дру́зів
DAT.	дру́гу	дру́зям
ACC.	дру́га	дру́зів
INSTR.	дру́гом	дру́зями
PREP.	дру́гу	дру́зях
VOC.	дру́же	дру́зі

дру́гий ADJECTIVE

second Я дру́гий рік навча́юся в університе́ті *I am studying in my second year at university.*

M.	дру́гий	NT.	дру́ге
F.	дру́га	PL.	дру́гі

дружи́на NOUN

wife Моя́ дружи́на працю́є у музе́ї. *My wife works at a museum.* (*antonym:* чолові́к)

	SING.	PL.
NOM.	дружи́на	дружи́ни
GEN.	дружи́ни	дружи́н
DAT.	дружи́ні	дружи́нам
ACC.	дружи́ну	дружи́н
INSTR.	дружи́ною	дружи́нами
PREP.	дружи́ні	дружи́нах
VOC.	дружи́но	дружи́ни

ду́же ADVERB

❶ *(+ adjective or adverb)* **very** Це ду́же ціка́ва ро́зповідь! *This is a very interesting story!*

❷ *(+ verb)* **very much, a lot** Ми ду́же лю́бимо тебе́! *We love you very much!*

⚠ Ду́же can be used to intensify an adjective, adverb, or verb.

ду́мати IMPERFECTIVE VERB

think Я ду́мав, що Людми́ла гово́рить англі́йською. *I thought that Lyudmila spoke English.* (*perfective verb:* поду́мати)

PRES.	я ду́маю	ми ду́маємо
	ти ду́маєш	ви ду́маєте
	він ду́має	вони́ ду́мають
PAST	M. ду́мав	NT. ду́мало
	F. ду́мала	PL. ду́мали
IMPER.	SG. ду́май	PL. ду́майте

дя́дько NOUN, MASCULINE **uncle** Твій дя́дько бізнесме́н? *Is your uncle a businessman?*

	SING.	PL.
NOM.	дя́дько	дядьки́
GEN.	дя́дька	дядькі́в
DAT.	дя́дьку	дядька́м
ACC.	дя́дька	дядькі́в
INSTR.	дя́дьком	дядька́ми
PREP.	дя́дьку	дядька́х
VOC.	дя́дьку	дядьки́

дя́кую PARTICLE

thank you – Щасли́вої доро́ги! – Дя́кую! *Have a nice trip! – Thank you!*

Ee *Ee* Ee

еконо́міка NOUN, UNCOUNTABLE

❶ **economy** Що ви зна́єте про еконо́міку Украї́ни? *What do you know about Ukraine's economy?*

❷ **economics** Я не розумі́ю еконо́міку. *I do not understand economics.*

	SING.	PL.
NOM.	еконо́міка	еконо́міки
GEN.	еконо́міки	еконо́мік
DAT.	еконо́міці	еконо́мікам
ACC.	еконо́міку	еконо́міки
INSTR.	еконо́мікою	еконо́міками
PREP.	еконо́міці	еконо́міках
VOC.	еконо́міко	еконо́міки

економі́ст NOUN

economist Моя́ ма́ти працю́є економі́стом. *My mother works as an economist.*

	SING.	PL.
NOM.	економі́ст	економі́сти
GEN.	економі́ста	економі́стів
DAT.	економі́сту	економі́стам
ACC.	економі́ста	економі́стів
INSTR.	економі́стом	економі́стами
PREP.	економі́сті	економі́стах
VOC.	економі́сте	економі́сти

економі́чний ADJECTIVE

economic За́раз у на́шій краї́ні економі́чні пробле́ми. *We have economic problems in the country now.*

M.	економі́чний	NT.	економі́чне
F.	економі́чна	PL.	економі́чні

екску́рсія NOUN

excursion, trip Вам сподо́балася екску́рсія до музе́ю? *Did you like the trip to the museum?*

	SING.	PL.
NOM.	екску́рсія	екску́рсії
GEN.	екску́рсії	екску́рсій
DAT.	екску́рсії	екску́рсіям
ACC.	екску́рсію	екску́рсії
INSTR.	екску́рсією	екску́рсіями
PREP.	екску́рсії	екску́рсіях
VOC.	екску́рсіє	екску́рсії

екскурсово́д NOUN

guide Наш екскурсово́д говори́в украї́нською та кита́йською. *Our guide spoke Ukrainian and Chinese.*

	SING.	PL.
NOM.	екскурсово́д	...во́ди
GEN.	екскурсово́да	...во́дів
DAT.	екскурсово́ду	...во́дам
ACC.	екскурсово́да	...во́дів
INSTR.	екскурсово́дом	...во́дами
PREP.	екскурсово́ді	...во́дах
VOC.	екскурсово́де	...во́ди

Ефіо́пія NOUN

(geography) **Ethiopia** У ва́шій гру́пі є студе́нти з Ефіо́пії? *Are there any students from Ethiopia in your group?*

	SING.		SING.
NOM.	Ефіо́пія	INSTR.	Ефіо́пією
GEN.	Ефіо́пії	PREP.	Ефіо́пії
DAT.	Ефіо́пії	VOC.	Ефіо́піє
ACC.	Ефіо́пію		

Єє Єє Єє

Є VERB

❶ *(+ nominative case)* **there is, there are** У магази́ні є моро́зиво. *In the store, there is ice cream.* (*antonym:* нема́)

❷ *(у + possessor in genitive case + є + thing possessed in nominative case)* **have** У вас є окуля́ри? *Do you have glasses?* (*see also:* у)

Євро́па NOUN

(geography) **Europe** Я ду́же хо́чу поїхати до Євро́пи на Но́вий рік. *I really want to go to Europe for New Year's.*

	SING.		SING.
NOM.	Євро́па	INSTR.	Євро́пою
GEN.	Євро́пи	PREP.	Євро́пі
DAT.	Євро́пі	VOC.	Євро́по
ACC.	Євро́пу		

Єги́пет NOUN

(geography) **Egypt** Єги́пет розташо́ваний в А́фриці. *Egypt is in Africa.*

	SING.		SING.
NOM.	Єги́пет	INSTR.	Єги́птом
GEN.	Єги́пту	PREP.	Єги́пті
DAT.	Єги́пту	VOC.	Єги́пте
ACC.	Єги́пет		

Жж Жж Жж

жи́ти IMPERFECTIVE VERB
live Ви хо́чете жи́ти? *Do you want to live?*

PRES.	я живу́	ми живемо́
	ти живе́ш	ви живете́
	він живе́	вони́ живу́ть
PAST	M. жив	NT. жило́
	F. жила́	PL. жили́

життя́ NOUN, NEUTER **life** Я люблю́ життя́! *I love life!*

	SING.	PL.
NOM.	життя́	життя́
GEN.	життя́	життíв
DAT.	життю́	життя́м
ACC.	життя́	життя́
INSTR.	життя́м	життя́ми
PREP.	життí	життя́х
VOC.	життя́	життя́

жíнка NOUN
woman На заво́ді працю́є бага́то жіно́к. *A lot of women work in the factory.* (*antonym:* чоловíк)

	SING.	PL.
NOM.	жíнка	жінки́
GEN.	жíнки	жіно́к
DAT.	жíнці	жінка́м
ACC.	жíнку	жіно́к
INSTR.	жíнкою	жінка́ми
PREP.	жíнці	жінка́х
VOC.	жíнко	жінки́

жіно́чий ADJECTIVE
female, feminine, woman's – Мíтя – це жіно́че ім'я́? – Ні, чоловíче. *Is Mitya a girls' name? – No, it's a boys' name.* (*antonym:* чоловíчий)

M.	жіно́чий	NT.	жіно́че
F.	жіно́ча	PL.	жіно́чі

жо́втень NOUN
October Моя́ ма́ма народи́лася у жо́втні. *My mother was born in October.*

жо́втий ADJECTIVE
yellow Тобí подо́бається жо́втий ко́лір? *Do you like (the color) yellow?*

M.	жо́втий	NT.	жо́вте
F.	жо́вта	PL.	жо́вті

журна́л NOUN
magazine Ви чита́єте журна́ли? *Do you read magazines?*

	SING.	PL.
NOM.	журна́л	журна́ли
GEN.	журна́лу	журна́лів
DAT.	журна́лу	журна́лам
ACC.	журна́л	журна́ли
INSTR.	журна́лом	журна́лами
PREP.	журна́лі	журна́лах
VOC.	журна́ле	журна́ли

журналíст NOUN
journalist Журналíст написа́в бага́то стате́й. *The journalist wrote a lot of articles.*

	SING.	PL.
NOM.	журналíст	журналíсти
GEN.	журналíста	журналíстів
DAT.	журналíсту	журналíстам
ACC.	журналíста	журналíстів
INSTR.	журналíстом	журналíстами
PREP.	журналíсті	журналíстах
VOC.	журналíсте	журналíсти

Зз *Зз* *Зз*

з (із, зі) PREPOSITION

❶ *(place; + genitive case)* **from** Ми приї́хали з заво́ду пізно уве́чері. *We got back from the factory late in the evening.* (antonyms*:* у, на) Ви з Італії? *Are you from Italy?* Ви із Фра́нції? *Are you from France?* (*antonym:* у)

❷ *(time; + genitive case)* **from** Магази́н працює з понеділка до субо́ти. *The store is open from Monday to Saturday.*

❸ *(time; + genitive case)* **since** Катери́на та Сергі́й у Ки́єві з понеділка. *Katerina and Sergiy have been in Kyiv since Monday.*

❹ *(+ instrumental case)* **with** Вчо́ра Оле́г був у кафе́ із дру́зями. *Yesterday Oleg was at a café with his friends.* Ви п'єте́ чай із молоко́м? *Do you drink tea with milk?*

⚠ As seen in the example above, з has two variant forms (із and зі) that are used to avoid difficult strings of consonants, according to Ukrainian euphony. Try to find examples of the following rules in the example sentences.

із: 1. between consonants (that is, if the preciding word ends in a consonant and the following word begins in a consonant); 2. between a consonant cluster (two or more adjacent consonants) and a vowel; 3. before a word beginning in с or ш.

зі: 1. before a consonant cluster beginning in з, с, ш, or щ; 2. before the words мно́ю (me) and Льво́ва (Lviv): **зі студе́нтом** *with the student* **зі мно́ю** *with me*

з: 1. between vowels; 2. if either the preceding word ends in or the following word begins in a single consonant.

з'ї́сти PERFECTIVE VERB

eat Сього́дні я з'ї́ла два я́блука. *Today I ate two apples.* (*imperfective verb:* ї́сти)

FUT.	я з'їм	ми з'їмо́
	ти з'їси́	ви з'їсте́
	він з'їсть	вони́ з'їдя́ть
PAST	M. з'їв	NT. з'ї́ло
	F. з'ї́ла	PL. з'ї́ли

забува́ти IMPERFECTIVE VERB

forget Я завжди́ забува́ю твій день наро́дження. *I always forget your birthday.* (*antonym:* зга́дувати; *perfective verb:* забу́ти)

PRES.	я забува́ю	ми забува́ємо
	ти забува́єш	ви забува́єте
	він забува́є	вони́ забува́ють
PAST	M. забува́в	NT. забува́ло
	F. забува́ла	PL. забува́ли

забу́ти PERFECTIVE VERB

forget Ти забу́в ключі? *You forgot the keys?!* (*antonym:* згада́ти; *imperfective verb:* забува́ти)

FUT.	я забу́ду	ми забу́демо
	ти забу́деш	ви забу́дете
	він забу́де	вони́ забу́дуть
PAST	M. забу́в	NT. забу́ло
	F. забу́ла	PL. забу́ли

завда́ння NOUN, NEUTER

task, (math) problem Ти ду́маєш, що це важке́ завда́ння? *Do you think that this is a difficult task?*

	SING.	PL.
NOM.	завда́ння	завда́ння
GEN.	завда́ння	завда́нь
DAT.	завда́нню	завда́нням
ACC.	завда́ння	завда́ння
INSTR.	завда́нням	завда́ннями
PREP.	завда́нні	завда́ннях
VOC.	завда́ння	завда́ння

завжди́ ADVERB

always Дмитро́ завжди́ люби́в чита́ти. *Dmitro has always loved to read.* (*synonym:* всё время; *antonym:* ніко́ли)

⚠ This word can also be pronounced with the stress on the first syllable: за́вжди

заво́д NOUN

factory Богда́н працю́є на заво́ді? *Does Bogdan work in a factory?*

	SING.	PL.
NOM.	заво́д	заво́ди
GEN.	заво́ду	заво́дів
DAT.	заво́ду	заво́дам
ACC.	заво́д	заво́ди
INSTR.	заво́дом	заво́дами
PREP.	заво́ді	заво́дах
VOC.	заво́де	заво́ди

за́втра ADVERB

tomorrow Ми ку́пимо хліб за́втра. *We will buy bread tomorrow.* (*antonym:* вчо́ра)

задово́лення NOUN, NEUTER

pleasure Макси́м отри́мує задово́лення від робо́ти. *Maxim enjoys his work.* **Із задово́ленням!** *With pleasure!* – Ви не хо́чете піти́ у кіно́ з на́ми? - Із задово́ленням! *Would you like to go to the movies with us? – With pleasure!*

	SING.	PL.
NOM.	задово́лення	задово́лення
GEN.	задово́лення	задово́лень
DAT.	задово́ленню	задово́ленням
ACC.	задово́лення	задово́лення
INSTR.	задово́ленням	задово́леннями
PREP.	задово́ленні	задово́леннях
VOC.	задово́лення	задово́лення

зазвича́й ADVERB

usually Зазвича́й ми обі́даємо о двана́дцятій годи́ні дня. *We usually have lunch at noon.*

займа́тися IMPERFECTIVE VERB

❶ *(+ instrumental case)* **do, practice** Коли́ ви поча́ли займа́тися спо́ртом? *When did you start to play sports?*

❷ **study** Ти пови́нен бага́то займа́тися, бо в лю́тому ти ма́єш і́спит. *You have to study a lot because you have an exam in February.*

PRES.	займа́юся	займа́ємося
	займа́єшся	займа́єтеся
	займа́ється	займа́ються
PAST	M. займа́вся	NT. займа́лося
	F. займа́лася	PL. займа́лися

за́йнятий ADJECTIVE

busy Ви́бач, я не мо́жу піти́ у кіно́. Я бу́ду за́йнятий уве́чері. *Sorry, I can't go to the movies. I'll be busy in the evening.*

M.	за́йнятий	NT.	за́йняте
F.	за́йнята	PL.	за́йняті

закі́нчити PERFECTIVE VERB

❶ **finish** Мені́ потрі́бно закі́нчити статтю́ до понеді́лка. *I need to finish the article by Monday.* (*antonym:* поча́ти)

❷ **graduate (from)**
Я закі́нчила університе́т п'ять ро́ків тому́. *I graduated from university five years ago.* (*imperfective verb:* закі́нчувати)

FUT.	я закі̂нчу	ми закі̂нчимо
	ти закі̂нчиш	ви закі̂нчите
	він закі̂нчить	вони́ закі̂нчать
PAST	M. закі̂нчив	NT. закі̂нчило
	F. закі̂нчила	PL. закі̂нчили

закі́нчувати IMPERFECTIVE VERB
(+ noun or imperfective verb)
finish Я закі́нчую робо́ту о шо́стій годи́ні ве́чора. *I finish work at six p.m.* - І́гор, вже пі́зно, тобі́ тре́ба спа́ти. - До́бре ма́мо. Я закі́нчую чита́ти та йду спа́ти. *Igor, it's late. You need to go to bed. – Okay, Mom. I'm [just] finishing up reading and I'll go to bed.* (*antonym:* начинать; *perfective verb:* закі́нчити)

PRES.	закі̂нчува́ю	закі̂нчува́ємо
	закі̂нчува́єш	закі̂нчува́єте
	закі̂нчува́є	закі̂нчува́ють
PAST	M. закі̂нчува́в	NT. закі̂нчува́ло
	F. закі̂нчува́ла	PL. закі̂нчува́ли

запам'ята́ти PERFECTIVE VERB
memorize, remember Я не мо́жу запам'ята́ти це сло́во. *I cannot remember the word.* (*imperfective verb:* запам'ято́вувати)

FUT.	запам'ята́ю	запам'ята́ємо
	запам'ята́єш	запам'ята́єте
	запам'ята́є	запам'ята́ють
PAST	M. запам'ята́в	NT. запам'ята́ло
	F. запам'ята́ла	PL. запам'ята́ли

запам'ято́вувати IMPERFECTIVE VERB
memorize, remember
Що допомага́є тобі́ запам'ято́вувати те́ксти? *What helps you to remember the texts?* (*perfective verb:* запам'ята́ти)

PRES.	я запам'ято́вую
	ми запам'ято́вуємо
	ти запам'ято́вуєш
	ви запам'ято́вуєте
	він запам'ято́вує
	вони́ запам'ято́вують
PAST	M. запам'ято́вував
	F. запам'ято́вувала
	NT. запам'ято́вувало
	PL. запам'ято́вували

запита́ти PERFECTIVE VERB
ask Коли́ він запита́в про ме́не? *When did he ask about me?* (*antonym:* відповісти́; *imperfective verb:* запи́тувати)

FUT.	я запита́ю	ми запита́ємо
	ти запита́єш	ви запита́єте
	він запита́є	вони́ запита́ють
PAST	M. запита́в	NT. запита́ло
	F. запита́ла	PL. запита́ли

запи́тувати IMPERFECTIVE VERB
ask Ви завжди́ запи́туєте про пого́ду? *Do you always ask about the weather?* (*antonym:* відповіда́ти; *perfective verb:* запита́ти)

PRES.	я запи́тую	ми запи́туємо
	ти запи́туєш	ви запи́туєте
	він запи́тує	вони́ запи́тують
PAST	M. запи́тував	NT. запи́тувало
	F. запи́тувала	PL. запи́тували

запізни́тися PERFECTIVE VERB
be late Чому́ ви запізни́лися? *Why are you late?* (*imperfective verb:* запі́знюватися)

FUT.	запізню́ся	запізнимо́ся
	запізни́шся	запізните́ся
	запізни́ться	запізня́ться
PAST	M. запізни́вся	NT. запізни́лося
	F. запізни́лася	PL. запізни́лися

запі́знюватися IMPERFECTIVE VERB

be late Євге́н ніко́ли не запі́знюється. *Evgen is never late.* (*perfective verb:* запізни́тися)

PRES. я запі́знююся
ми запі́знюємося
ти запі́знюєшся
ви запі́знюєтеся
він запі́знюється
вони́ запі́знюються

PAST M. запі́знювався
F. запі́знювалася
NT. запі́знювалося
PL. запі́знювалися

запроси́ти PERFECTIVE VERB

invite Ми запроси́ли Володи́мира на вече́рю. *We invited Volodymyr for dinner.* **запроси́ти у го́сті** *invite over* **Ми запроси́ли Ка́тю в го́сті.** *We invited Katya over.* (*imperfective verb:* запро́шувати)

FUT.	я запрошу́	ми запро́симо
	ти запро́сиш	ви запро́сите
	він запро́сить	вони́ запро́сять
PAST	M. запроси́в	NT. запроси́ло
	F. запроси́ла	PL. запроси́ли

запро́шувати IMPERFECTIVE VERB

invite Ми завжди́ запро́шуємо дру́зів у кіно́. *We always invite friends to go to the movies.* (*perfective verb:* запроси́ти)

PRES. я запро́шую
ми запро́шуємо
ти запро́шуєш
ви запро́шуєте
він запро́шує
вони́ запро́шують

PAST M. запро́шував
F. запро́шувала
NT. запро́шувало
PL. запро́шували

за́раз ADVERB

now За́раз одина́дцята годи́на ра́нку. *It is eleven o'clock in the morning.* (*compare:* тепе́р)

⚠ Literally, 'now [is]...'

зателефонува́ти PERFECTIVE VERB

call, telephone Коли́ ви зателефону́єте нам? *When will you call us?* телефонува́ти

FUT.	зателефону́ю	зателефону́ємо
	зателефону́єш	зателефону́єте
	зателефону́є	зателефону́ють

PAST M. зателефонува́в
F. зателефонува́ла
NT. зателефонува́ло
PL. зателефонува́ли

зачи́нений ADJECTIVE

closed Я ду́мала, що банк зачи́нено сього́дні. *I thought that the bank was closed today.* (*antonym:* відчи́нений)

M. зачи́нений	NT. зачи́нено
F. зачи́нена	PL. зачи́нені

зачини́ти PERFECTIVE VERB

close, shut Я не мо́жу зачини́ти вікно́. Допоможи́, будь ла́ска. *I cannot close the window. Please help me.* (*antonym:* відчини́ти; *imperfective verb:* зачиня́ти)

FUT.	я зачиню́	ми зачи́нимо
	ти зачи́ниш	ви зачи́ните
	він зачи́нить	вони́ зачи́нять
PAST	M. зачини́в	NT. зачини́ло
	F. зачини́ла	PL. зачини́ли
IMPER.	SG. зачини́	PL. зачини́те

зачиня́ти IMPERFECTIVE VERB

close, shut Я завжди́ зачиня́ю две́рі. *I always close the door.* (*antonym:* відчиня́ти; *perfective verb:* зачини́ти)

PRES.	я зачиняю	ми зачиняємо
	ти зачиняєш	ви зачиняєте
	він зачиняє	вони зачиняють
PAST	M. зачиняв	NT. зачиняло
	F. зачиняла	PL. зачиняли
IMPER.	SG. зачиняй	PL. зачиняйте

зва́ти IMPERFECTIVE VERB

call Тебе́ звуть Майкл, так? *Your name is Michael, right?* **Мене́ зва́ти __.** *My name is __.* (*perfective verb:* позва́ти)

⚠ This verb is used with people and animals, not inanimate objects. (*compare:* назива́тися)

PRES.	я зву	ми звемо́
	ти звеш	ви звете́
	він зве	вони́ звуть
PAST	M. звав	NT. зва́ло
	F. зва́ла	PL. зва́ли

зві́сно ADVERB

of course – Ви лю́бите ка́ву? – Зві́сно! *Do you like coffee? – Of course!*

згада́ти PERFECTIVE VERB

remember, recall Я згада́ла це сло́во! *I remembered the word!* (*antonym:* забу́ти; *imperfective verb:* зга́дувати)

FUT.	я згада́ю	ми згада́ємо
	ти згада́єш	ви згада́єте
	він згада́є	вони́ згада́ють
PAST	M. згада́в	NT. згада́ло
	F. згада́ла	PL. згада́ли

зга́дувати IMPERFECTIVE VERB

remember, recall Я ча́сто зга́дую шко́лу. *I often think about school.* (*antonym:* забува́ти; *perfective verb:* згада́ти)

PRES.	я зга́дую	ми зга́дуємо
	ти зга́дуєш	ви зга́дуєте
	він зга́дує	вони́ зга́дують
PAST	M. зга́дував	NT. зга́дувало
	F. зга́дувала	PL. зга́дували

зго́дний ADJECTIVE

in agreement Я зго́ден, що ми зроби́ли робо́ту пога́но. Ви́бачте. *I agree that we have done the job badly. I'm sorry.*

M. зго́дний (зго́ден)	NT. зго́дне
F. зго́дна	PL. зго́дні

здоро́в'я NOUN

health Як ва́ше здоро́в'я? *How is your health?*

	SING.		SING.
NOM.	здоро́в'я	INSTR.	здоро́в'ям
GEN.	здоро́в'я	PREP.	здоро́в'ї
DAT.	здоро́в'ю	VOC.	здоро́в'я
ACC.	здоро́в'я		

здоро́вий ADJECTIVE

healthy За́втра Бо́ря пі́де до шко́ли. Він уже́ здоро́вий. *Tomorrow Borya is going to school. He's healthy now.* (*antonym:* хво́рий)

M. здоро́вий	NT. здоро́ве
F. здоро́ва	PL. здоро́ві

здра́стуйте INTERJECTION

(formal) **hello** Здра́стуйте, Іва́не Петро́вичу! Ра́ді Вас ба́чити! *Hello, Ivan Petrovich! We're glad to see you!* (*compare:* приві́т; *antonym:* до поба́чення)

зеле́ний ADJECTIVE

green Ви лю́бите зе́лені я́блука? *Do you like green apples?*

M. зеле́ний	NT. зеле́не
F. зеле́на	PL. зеле́ні

земля́ NOUN

ground, earth Твій ніж лежи́ть на землі́. *Your knife is lying on the ground.*

	SING.	PL.
NOM.	земля́	зе́млі
GEN.	землі́	земе́ль
DAT.	землі́	зе́млям
ACC.	зе́млю	зе́млі
INSTR.	землéю	зе́млями
PREP.	землі́	зе́млях
VOC.	зе́мле	зе́млі

зима́ NOUN

winter Ти лю́биш зи́му? *Do you like winter?* (*antonym:* лі́то)

	SING.	PL.
NOM.	зима́	зи́ми
GEN.	зими́	зим
DAT.	зимі́	зима́м
ACC.	зиму́	зи́ми
INSTR.	зимо́ю	зима́ми
PREP.	зимі́	зима́х
VOC.	зимо́	зи́ми

зі (*see* **з**)

змогти́ PERFECTIVE VERB

❶ *(future)* **will be able to** Я ду́маю, що ви змо́жете ви́вчити пі́сню. *I think you can learn a song.*

❷ *(past)* **was able to, managed to** Ви́бачте, я не зміг закі́нчити робо́ту у п'я́тницю. *Sorry, I wasn't able to finish the work on Friday.* (*imperfective verb:* могти́)

FUT.	я змо́жу	ми змо́жемо
	ти змо́жеш	ви змо́жете
	він змо́же	вони́ змо́жуть
PAST	M. зміг	NT. змогло́
	F. змогла́	PL. змогли́

зна́ти IMPERFECTIVE VERB

know Ти не зна́єш, де живе́ Тетя́на? *Do you happen to know where Tatiana lives?*

PRES.	я зна́ю	ми зна́ємо
	ти зна́єш	ви зна́єте
	він зна́є	вони́ зна́ють
PAST	M. знав	NT. зна́ло
	F. зна́ла	PL. зна́ли

зоопа́рк NOUN

zoo Я ніко́ли не був у зоопа́рку. *I have never been to the zoo.*

	SING.	PL.
NOM.	зоопа́рк	зоопа́рки
GEN.	зоопа́рку	зоопа́рків
DAT.	зоопа́рку	зоопа́ркам
ACC.	зоопа́рк	зоопа́рки
INSTR.	зоопа́рком	зоопа́рками
PREP.	зоопа́рку	зоопа́рках
VOC.	зоопа́рку	зоопа́рки

зо́шит NOUN

notebook Де ваш зо́шит? *Where is your notebook?*

	SING.	PL.
NOM.	зо́шит	зо́шити
GEN.	зо́шита	зо́шитів
DAT.	зо́шиту	зо́шитам
ACC.	зо́шит	зо́шити
INSTR.	зо́шитом	зо́шитами
PREP.	зо́шиті	зо́шитах
VOC.	зо́шите	зо́шити

зроби́ти PERFECTIVE VERB

❶ **do** Ви пови́нні зроби́ти робо́ту до поне́ді́лка. *You need to do the job by Monday.*

❷ **make** Подиві́ться, ви зроби́ли поми́лку. *Look, you made a mistake.* (*imperfective verb:* роби́ти)

FUT.	я зроблю́	ми зро́бимо
	ти зро́биш	ви зро́бите
	він зро́бить	вони́ зро́блять
PAST	M. зроби́в	NT. зроби́ло
	F. зроби́ла	PL. зроби́ли

зрозумі́ло ADVERB

❶ **understandably, clearly** Ви гово́рите ду́же зрозумі́ло. *You speak very clearly.*

❷ **I understand!, Got it!, I see!**

– Я не піду́ у кіно́ з ва́ми. – Зрозуміло. Ду́же шко́да. *I won't be going to the movies with you. – I see... That's too bad.*

зрозумі́ти PERFECTIVE VERB

understand Два ро́ки то́му я зрозумі́в, що ма́ю ви́вчати украї́нську мо́ву. *Two years ago, I understood that I had to learn Ukrainian.* (*imperfective verb:* розумі́ти)

FUT.	я зрозумі̂ю	ми зрозумі̂ємо
	ти зрозумі̂єш	ви зрозумі̂єте
	він зрозумі̂є	вони́ зрозумі̂ють
PAST	M. зрозумі̂в	NT. зрозумі̂ло
	F. зрозумі̂ла	PL. зрозумі̂ли

зупи́нка NOUN

(bus) stop Де зупи́нка «О́пера»? *Where is the "Opera" (bus) stop?*

	SING.	PL.
NOM.	зупи́нка	зупи́нки
GEN.	зупи́нки	зупи́нок
DAT.	зупи́нці	зупи́нкам
ACC.	зупи́нку	зупи́нки
INSTR.	зупи́нкою	зупи́нками
PREP.	зупи́нці	зупи́нках
VOC.	зупи́нко	зупи́нки

зустрі́ти PERFECTIVE VERB

meet Мені́ тре́ба зустрі́ти сестру́ на вокза́лі. *I need to meet my sister at the station.* (*imperfective verb:* зустріча́ти)

FUT.	я зустрі̂ну	ми зустрі̂немо
	ти зустрі̂неш	ви зустрі̂нете
	він зустрі̂не	вони́ зустрі̂нуть
PAST	M. зустрі̂в	NT. зустрі̂ло
	F. зустрі̂ла	PL. зустрі̂ли

зустріча́ти IMPERFECTIVE VERB

meet Хто зустріча́є тебе́ в аеропорту́? *Who is meeting meet you at the airport?* (*perfective verb:* зустрі́ти)

PRES.	я зустріча́ю	ми зустріча́ємо
	ти зустріча́єш	ви зустріча́єте
	він зустріча́є	вони́ зустріча́ють
PAST	M. зустріча́в	NT. зустріча́ло
	F. зустріча́ла	PL. зустріча́ли

і (й) CONJUNCTION

and У ме́не є брат і дві сестри́. *I have one brother and two sisters.* У ме́не є два брати́ й одна́ сестра́. *I have two brothers and one sister.* **і... і... both... and...** Мені́ подо́баються і кі́шки, і соба́ки. *I like both cats and dogs.* (*compare:* **та**)

⚠ As a basic rule of thumb, й is used between vowels. The synonymous та can also be used.

із (*see* **з**)

ім'я́ NOUN, NEUTER

(first) name У те́бе га́рне ім'я́. *You have a beautiful name.*

	SING.	PL.
NOM.	ім'я́	імена́
GEN.	і́мені	іме́н
DAT.	ім'ю́	імена́м
ACC.	ім'я́	імена́
INSTR.	ім'я́м	імена́ми
PREP.	ім'ю́	імена́х
VOC.	ім'я́	імена́

І́ндія NOUN

(geography) **India** Ви зна́єте столи́цю І́ндії? *Do you know the capital of India?*

	SING.		SING.
NOM.	І́ндія	INSTR.	І́ндією
GEN.	І́ндії	PREP.	І́ндії
DAT.	І́ндії	VOC.	І́ндіє
ACC.	І́ндію		

інжене́р NOUN

engineer Ви інжене́р? *Are you an engineer?*

	SING.	PL.
NOM.	інжене́р	інжене́ри
GEN.	інжене́ра	інжене́рів
DAT.	інжене́ру	інжене́рам
ACC.	інжене́ра	інжене́рів
INSTR.	інжене́ром	інжене́рами
PREP.	інжене́рі	інжене́рах
VOC.	інжене́ре	інжене́ри

і́ноді ADVERB

sometimes І́ноді я гуля́ю з дру́зями у па́рку. *Sometimes I hang out with friends at the park.*

інозе́мець NOUN

(male) **foreigner** У вас у гру́пі є інозе́мці? *Are there any foreigners in your group?*

	SING.	PL.
NOM.	інозе́мець	інозе́мці
GEN.	інозе́мця	інозе́мців
DAT.	інозе́мцю	інозе́мцям
ACC.	інозе́мця	інозе́мців
INSTR.	інозе́мцем	інозе́мцями
PREP.	інозе́мці	інозе́мцях
VOC.	інозе́мцю	інозе́мці

інозе́мка NOUN

(female) **foreigner** Його́ дружи́на інозе́мка. *His wife is a foreigner.*

	SING.	PL.
NOM.	інозе́мка	інозе́мки
GEN.	інозе́мки	інозе́мок
DAT.	інозе́мці	інозе́мкам
ACC.	інозе́мку	інозе́мок
INSTR.	інозе́мкою	інозе́мками
PREP.	інозе́мці	інозе́мках
VOC.	інозе́мко	інозе́мки

інозе́мний ADJECTIVE

foreign Мені́ подо́бається вивча́ти інозе́мні мо́ви. *I like to study foreign languages.*

M.	інозе́мний	NT.	інозе́мне
F.	інозе́мна	PL.	інозе́мні

інститу́т NOUN

institute Я навча́лася в інститу́ті. *I studied at the institute.*

	SING.	PL.
NOM.	інститу́т	інститу́ти
GEN.	інститу́ту	інститу́тів
DAT.	інститу́ту	інститу́там
ACC.	інститу́т	інститу́ти
INSTR.	інститу́том	інститу́тами
PREP.	інститу́ті	інститу́тах
VOC.	інститу́те	інститу́ти

Інтерне́т NOUN, UNCOUNTABLE

the Internet Я не мо́жу працюва́ти без Інтерне́ту. *I cannot work without the Internet.*

	SING.
NOM.	Інтерне́т
GEN.	Інтерне́ту
DAT.	Інтерне́ту
ACC.	Інтерне́т
INSTR.	Інтерне́том
PREP.	Інтерне́ті
VOC.	Інтерне́те

і́нший ADJECTIVE

other, different У Німе́ччині ти ма́тимеш і́нше життя́. *In Germany, you will have a different life.* (*compare:* рі́зний)

M.	і́нший	NT.	і́нше
F.	і́нша	PL.	і́нші

іспа́нець NOUN

(male) **Spaniard** Іспа́нці сплять уде́нь. *Spaniards sleep during the day.*

	SING.	PL.
NOM.	іспа́нець	іспа́нці
GEN.	іспа́нця	іспа́нців
DAT.	іспа́нцю	іспа́нцям
ACC.	іспа́нця	іспа́нців
INSTR.	іспа́нцем	іспа́нцями
PREP.	іспа́нці	іспа́нцях
VOC.	іспа́нцю	іспа́нці

Іспа́нія NOUN

(geography) **Spain** В Іспа́нії ду́же до́бре вино́. *They have really good wine in Spain.*

	SING.		SING.
NOM.	Іспа́нія	INSTR.	Іспа́нією
GEN.	Іспа́нії	PREP.	Іспа́нії
DAT.	Іспа́нії	VOC.	Іспа́ніє
ACC.	Іспа́нію		

іспа́нка NOUN

(female) **Spaniard** Іспа́нки лю́блять танцюва́ти. *Spanish women like to dance.*

	SING.	PL.
NOM.	іспа́нка	іспа́нки
GEN.	іспа́нки	іспа́нок
DAT.	іспа́нці	іспа́нкам
ACC.	іспа́нку	іспа́нок
INSTR.	іспа́нкою	іспа́нками
PREP.	іспа́нці	іспа́нках
VOC.	іспа́нко	іспа́нки

іспа́нський ADJECTIVE

Spanish Я вивча́в іспа́нську мо́ву п'ять ро́ків тому́. *I studied Spanish five years ago.* (*see note:* америка́нський)

M.	іспа́нський	NT.	іспа́нське
F.	іспа́нська	PL.	іспа́нські

іспа́нською ADVERB

(in) Spanish У Ме́ксиці лю́ди гово́рять іспа́нською. *In Mexico, people speak Spanish.*

і́спит NOUN

exam, test Коли́ у вас пе́рший і́спит? *When is your first exam?*

	SING.	PL.
NOM.	і́спит	і́спити
GEN.	і́спиту	і́спитів
DAT.	і́спиту	і́спитам
ACC.	і́спит	і́спити
INSTR.	і́спитом	і́спитами
PREP.	і́спиті	і́спитах
VOC.	і́спите	і́спити

істо́рик NOUN

historian Ваш виклада́ч – істо́рик? *Is your teacher a historian?*

	SING.	PL.
NOM.	істо́рик	істо́рики
GEN.	істо́рика	істо́риків
DAT.	істо́рику	істо́рикам
ACC.	істо́рика	істо́риків
INSTR.	істо́риком	істо́риками
PREP.	істо́рику	істо́риках
VOC.	істо́рику	істо́рики

істори́чний ADJECTIVE

historic, historical Моє́ рі́дне мі́сто – це істори́чне мі́сто. *My hometown is a historic city.*

M.	істори́чний	NT.	істори́чне
F.	істори́чна	PL.	істори́чні

істо́рія NOUN

❶ **history** Ви вивча́єте істо́рію Украї́ни? *Are you studying the history of Ukraine?*

❷ **story** Я хо́чу розпові́сти́ вам істо́рію. *I want to tell you a story.*

	SING.	PL.
NOM.	істо́рія	істо́рії
GEN.	істо́рії	істо́рій
DAT.	істо́рії	істо́ріям
ACC.	істо́рію	істо́рії
INSTR.	істо́рією	істо́ріями
PREP.	істо́рії	істо́ріях
VOC.	істо́ріє	істо́рії

італі́йський ADJECTIVE

Italian Вам подо́бається італі́йська му́зика? *Do you like Italian music?*

M.	італі́йський	NT.	італі́йське
F.	італі́йська	PL.	італі́йські

Іта́лія NOUN

(geography) **Italy** Дари́на була́ в Іта́лії дві́чі. *Darina has been to Italy twice.*

	SING.		SING.
NOM.	Іта́лія	INSTR.	Іта́лією
GEN.	Іта́лії	PREP.	Іта́лії
DAT.	Іта́лії	VOC.	Іта́ліє
ACC.	Іта́лію		

іти́ (йти) IMPERFECTIVE VERB, UNIDIRECTIONAL

❶ *(on foot)* **go, walk** Я не хо́чу йти в магази́н так пі́зно. *I do not want to go to the store so late.*

❷ *(precipitation)* **rain, snow** Взи́мку тут ча́сто йде дощ. *It rains here a lot in the winter.*

❸ *(movie)* **play, show** Цей фільм уже́ йде у кіно́? *Is this movie already showing at the cinema?*

(*perfective verb:* піти́; *compare:* ходи́ти)

PRES.	я йду	ми йдемо́
	ти йдеш	ви йдете́
	він йде	вони́ йдуть
PAST	M. йшов	NT. йшло
	F. йшла	PL. йшли
IMPER.	SG. іди́	PL. іді́ть

Її *Її* *Її*

ї́да́льня NOUN

canteen, dining hall У вас на робо́ті є ї́да́льня? *Do you have a canteen at work?*

	SING.	PL.
NOM.	ї́да́льня	ї́да́льні
GEN.	ї́да́льні	ї́да́лень
DAT.	ї́да́льні	ї́да́льням
ACC.	ї́да́льню	ї́да́льні
INSTR.	ї́да́льнею	ї́да́льнями
PREP.	ї́да́льні	ї́да́льнях
VOC.	ї́да́льне	ї́да́льні

ї́здити IMPERFECTIVE VERB, MULTIDIRECTIONAL

(by vehicle) **go** Тобі подо́бається ї́здити на приро́ду? *Do you like going to the countryside?* (*compare:* ї́хати)

PRES.	я ї́жджу	ми ї́здимо
	ти ї́здиш	ви ї́здите
	він ї́здить	вони́ ї́здять
PAST	M. ї́здив	NT. ї́здило
	F. ї́здила	PL. ї́здили

її́ PRONOUN, FEMININE, GENTIVE/ACCUSATIVE

her, it Я кохаю її́. *I love her.* – Я люблю́ фізику. – Ви вивча́єте її в університеті? *I love physics. – Are you studying it in college?* (*see also*: вона́)

⚠ After a preposition, її becomes не́ї. (*see:* не́ї)

її́ PRONOUN, POSSESSIVE, FEMININE, INVARIABLE

her, its Це її́ су́мка? *Is this her bag?*

⚠ The possessive pronoun її is invariable. It does not change form before a masculine, feminine, neuter, or plural noun.

їй PRONOUN, FEMININE, DATIVE

(to) her, (to) it Дайте їй листа́. *Give the letter to her.* (*see also*: вона́)

їм PRONOUN, DATIVE

(to) them Їм потрі́бні книги. *They need books.* Да́йте їм п'ять словників. *Give him five dictionaries.* (*see also:* вони́)

ї́сти IMPERFECTIVE VERB

eat Дя́кую, я не хо́чу ї́сти. *Thank you, I do not want to eat.* (*perfective verb:* з'ї́сти)

PRES.	я їм	ми їмо́
	ти їси́	ви їсте́
	він їсть	вони́ їдя́ть
PAST	M. їв	NT. ї́ло
	F. ї́ла	PL. ї́ли

їх PRONOUN, PLURAL, GENTIVE/ACCUSATIVE

them Ви їх ба́чите? *Do you see them?* (*see also:* вони́)

⚠ Following a preposition, the form них is used. **у них є...** they have **у них нема́...** they do not have...

їх PRONOUN, POSSESSIVE, PLURAL

their Їх буди́нок неподалі́к. *Their house is nearby.*

⚠ The possessive pronoun їх is invariable. It does not change form before a masculine, feminine, neuter, or plural noun.

ї́хати IMPERFECTIVE VERB, UNIDIRECTIONAL *(by vehicle)* **go** – Куди́ ти ї́деш? – Я ї́ду на робо́ту. *Where are you going? – I am going to work.* (*perfective verb:* пої́хати; *compare:* ї́здити)

PRES.	я ї́ду	ми ї́демо
	ти ї́деш	ви ї́дете
	він ї́де	вони́ ї́дуть
PAST	M. ї́хав	NT. ї́хало
	F. ї́хала	PL. ї́хали

Йй *Йй* *Йй*

й (*see* **і**)

йогó PRONOUN, MASCULINE/NEUTER, GENITIVE/ACCUSATIVE

him, it Коли́ ви йогó бáчили? *When did you see him?* Ми купи́ли нови́й буди́нок. Ви хóчете подиви́тись йогó? *We bought a new house. Would you like to see it?* (*see also:* він, вонó)

⚠ After a preposition, йогó becomes ньóго. (*see:* ньóго)

йогó PRONOUN, POSSESSIVE, MASCULINE, NEUTER, INVARIABLE

his, its Киї́в – йогó рíдне мíсто. *Kyiv is his hometown.*

⚠ The possessive pronoun йогó is invariable. It does not change form before a masculine, feminine, neuter, or plural noun.

йомý PRONOUN, DATIVE

❶ MASCULINE **(to) him** Скíльки грошéй ви дáли йомý? *How much money did you give him?* Йомý двáдцять два рóки. *He is twenty-two years old.* (*see also:* він)

❷ NEUTER **(to) it** – Він розмовля́є з дéревом. – Так? Що він йомý кáже? *He is talking to a tree. – Oh yeah? What is he saying to it?* (*see also:* вонó)

йти (*see* **іти́**)

Кк *Кк* *Кк*

кабінéт NOUN

(home) office, study Бáтько у кабінéті? *Is Dad in the office?*

⚠ False friend! Кабінéт does not mean cabinet. (*compare:* шáфа)

	SING.	PL.
NOM.	кабінéт	кабінéти
GEN.	кабінéту	кабінéтів
DAT.	кабінéту	кабінéтам
ACC.	кабінéт	кабінéти
INSTR.	кабінéтом	кабінéтами
PREP.	кабінéті	кабінéтах
VOC.	кабінéте	кабінéти

кáва NOUN

coffee Я нікóли не п'ю кáву з молокóм. *I never drink coffee with milk.*

	SING.		SING.
NOM.	кáва	INSTR.	кáвою
GEN.	кáви	PREP.	кáві
DAT.	кáві	VOC.	кáво
ACC.	кáву		

казáти IMPERFECTIVE VERB

❶ **tell** Мáти завждú кáже менí, що я мáю рáцію. *My mother always tells me that I am right.*
❷ **say** Не кажú, що не знáєш Володúмира. *Do not say that you do not know Volodymyr.*
(*perfective verb:* сказáти)

PRES.	я кажý	ми кáжемо
	ти кáжеш	ви кáжете
	він кáже	вонú кáжуть
PAST	M. казáв	NT. казáло
	F. казáла	PL. казáли

картúна NOUN

painting, picture Менí не подóбається ця картúна. *I do not like this painting.*

	SING.	PL.
NOM.	картúна	картúни
GEN.	картúни	картúн
DAT.	картúні	картúнам
ACC.	картúну	картúни
INSTR.	картúною	картúнами
PREP.	картúні	картúнах
VOC.	картúно	картúни

картóпля NOUN, UNCOUNTABLE

potatoes Ти чáсто їсú картóплю? *Do you often eat potatoes?*

	SING.		SING.
NOM.	картóпля	INSTR.	картóплею
GEN.	картóплі	PREP.	картóплі
DAT.	картóплі	VOC.	картóпле
ACC.	картóплю		

кáса NOUN

cash register, checkout stand, pay desk, ticket window, box office Ви не знáєте, де кáса? *Do you know where the ticket window is?*

	SING.	PL.
NOM.	кáса	кáси
GEN.	кáси	кас
DAT.	кáсі	кáсам
ACC.	кáсу	кáси
INSTR.	кáсою	кáсами
PREP.	кáсі	кáсах
VOC.	кáсо	кáси

кафé NOUN, INDECLINABE **café** Я завждú обíдаю в кафé. *I always have lunch at the café.*

⚠ Кафé is indeclinable. It does not change form for case or number.

квартúра NOUN

apartment Це вáша квартúра? *Is this your apartment?*

	SING.	PL.
NOM.	квартúра	квартúри
GEN.	квартúри	квартúр
DAT.	квартúрі	квартúрам
ACC.	квартúру	квартúри
INSTR.	квартúрою	квартúрами
PREP.	квартúрі	квартúрах
VOC.	квартúро	квартúри

квитóк NOUN

ticket Ви взя́ли квитóк? *Did you take the ticket [with you]?*

	SING.	PL.
NOM.	квитóк	квиткú
GEN.	квиткá	квиткі̂в
DAT.	квиткý	квиткáм
ACC.	квитóк	квиткú
INSTR.	квиткóм	квиткáми
PREP.	квиткý	квиткáх
VOC.	квиткý	квиткú

квíтень NOUN

April Я народúвся у квíтні. *I was born in April.*

	SING.	PL.
NOM.	квíтень	квíтні
GEN.	квíтня	квíтнів
DAT.	квíтню	квíтням
ACC.	квíтень	квíтні
INSTR.	квíтнем	квíтнями
PREP.	квíтні	квíтнях
VOC.	квíтню	квíтні

квíтка NOUN

flower Вчóра Олексíй подарувáв мені квíти. *Yesterday Oleksiy gave me flowers.*

	SING.	PL.
NOM.	квíтка	квіткú
GEN.	квíтки	квітóк
DAT.	квíтці	квіткáм
ACC.	квíтку	квіткú
INSTR.	квíткою	квіткáми
PREP.	квíтці	квіткáх
VOC.	квíтко	квіткú

Кúїв NOUN

(geography) **Kyiv** Кúїв це столúця Украї́ни. *Kyiv is the capital of Ukraine.*

	SING.		SING.
NOM.	Кúїв	INSTR.	Кúєвом
GEN.	Кúєва	PREP.	Кúєві
DAT.	Кúєву	VOC.	Кúєве
ACC.	Кúїв		

кúївський ADJECTIVE

Kyiv-, of Kyiv Кúївські магазúни дýже дорогí. *Kyiv shops are very expensive.*

M.	кúївський	NT.	кúївське
F.	кúївська	PL.	кúївські

китáєць NOUN

Chinese man У мéне є друг. Він китáєць. *I have a friend. He is Chinese.*

	SING.	PL.
NOM.	китáєць	китáйці
GEN.	китáйця	китáйців
DAT.	китáйцю	китáйцям
ACC.	китáйця	китáйців
INSTR.	китáйцем	китáйцями
PREP.	китáйці	китáйцях
VOC.	китáйцю	китáйці

Китáй NOUN

(geography) **China** Я живý в Украї́ні, далéко від Китáю. *I live in Ukraine, far from China.*

	SING.		SING.
NOM.	Китáй	INSTR.	Китáєм
GEN.	Китáю	PREP.	Китáї
DAT.	Китáю	VOC.	Китáю
ACC.	Китáй		

китáйський ADJECTIVE

Chinese Марúні подóбається китáйський чай? *Does Marina like Chinese tea?* (see *note:* америкáнський)

M.	китáйський	NT.	китáйське
F.	китáйська	PL.	китáйські

китáйською ADVERB

(in) Chinese Я читáю китáйською, алé не пишý. *I read Chinese, but I don't write it.*

китая́нка NOUN

Chinese woman Ці китая́нки говóрять англíйською. *These Chinese women speak English.*

	SING.	PL.
NOM.	китая́нка	китая́нки
GEN.	китая́нки	китая́нок
DAT.	китая́нці	китая́нкам
ACC.	китая́нку	китая́нок
INSTR.	китая́нкою	китая́нками
PREP.	китая́нці	китая́нках
VOC.	китая́нко	китая́нки

кия́нин NOUN

(male) **Kyivan** Моï батькú кия́ни, а я ні. *My parents are Kyivans, but I'm not.*

	SING.	PL.
NOM.	кия́нин	кия́ни
GEN.	кия́нина	кия́н
DAT.	кия́нину	кия́нам
ACC.	кия́нина	кия́н
INSTR.	кия́нином	кия́нами
PREP.	кия́нині	кия́нах
VOC.	кия́нине	кия́ни

кия́нка NOUN

(female) **Kyivan** Ти не знáєш, Олексáндра кия́нка? *Do you happen to know if Oleksandra is from Kyiv?*

	SING.	PL.
NOM.	кия́нка	кия́нки
GEN.	кия́нки	кия́нок
DAT.	кия́нке	кия́нкам
ACC.	кия́нку	кия́нки
INSTR.	кия́нкою	кия́нками
PREP.	кия́нке	кия́нках
VOC.	кия́нине	кия́ни

кілогрáм NOUN

kilogram Я хóчу купúти два кілогрáми я́блук. *I want to buy two kilos of apples.*

	SING.	PL.
NOM.	кілогрáм	кілогрáми
GEN.	кілогрáма	кілогрáмів
DAT.	кілогрáму	кілогрáмам
ACC.	кілогрáм	кілогрáми
INSTR.	кілогрáмом	кілогрáмами
PREP.	кілогрáмі	кілогрáмах
VOC.	кілогрáме	кілогрáми

кілóметр NOUN

kilometer Скíльки кілóметрів від Хáркова до Львóва? *How many kilometers is it from Kharkiv to Lviv?*

	SING.	PL.
NOM.	кілóметр	кілóметри
GEN.	кілóметра	кілóметрів
DAT.	кілóметру	кілóметрам
ACC.	кілóметр	кілóметри
INSTR.	кілóметром	кілóметрами
PREP.	кілóметрі	кілóметрах
VOC.	кілóметре	кілóметри

кíлька PRONOUN

(+ genitive plural) **several, some** У нас є кíлька я́блук. Ви хóчете? *We've got some apples. Do you want one?*

кімнáта NOUN

room Скíльки вíкон у кімнáті? *How many windows are there in the room?*

	SING.	PL.
NOM.	кімнáта	кімнáти
GEN.	кімнáти	кімнáт
DAT.	кімнáті	кімнáтам
ACC.	кімнáту	кімнáти
INSTR.	кімнáтою	кімнáтами
PREP.	кімнáті	кімнáтах
VOC.	кімнáто	кімнáти

кінéць NOUN

end, ending Вам сподóбався кінéць фíльму? *Did you like the end of the movie?*

	SING.	PL.
NOM.	кіне́ць	кінці̂
GEN.	кінця́	кінці̂в
DAT.	кінцю́	кінця́м
ACC.	кіне́ць	кінці̂
INSTR.	кінце́м	кінця́ми
PREP.	кінці̂	кінця́х
VOC.	кінцю́	кінці̂

кіно́ NOUN, INDECLINABE

cinema, movie theater Дава́йте підемо у кіно́! *Let's go to the cinema!*

⚠ Кіно́ is indeclinable. It does not change form for case or number.

кіо́ск NOUN

kiosk, newspaper stand, booth Що ми мо́жемо купи́ти у кіо́ску? *What can we buy at a kiosk?*

	SING.	PL.
NOM.	кіо́ск	кіо́ски
GEN.	кіо́ска	кіо́сків
DAT.	кіо́ску	кіо́скам
ACC.	звук	кіо́ски
INSTR.	кіо́ском	кіо́сками
PREP.	кіо́сці	кіо́сках
VOC.	кіо́ску	кіо́ски

кі̂шка NOUN

cat У ма́ми завжди́ жи́ли кі́шки. *My mother has always had cats.*

	SING.	PL.
NOM.	кі̂шка	кі̂шки
GEN.	кі̂шки	кі̂шок
DAT.	кі̂шці	кі̂шкам
ACC.	кі̂шку	кі̂шки
INSTR.	кі̂шкою	кі̂шками
PREP.	кі̂шці	кі̂шках
VOC.	кі̂шко	кі̂шки

клас NOUN

classroom Скі́льки у́чнів за́раз у кла́сі? *How many students are in the classroom now?*

⚠ Клас does not mean *class* (as in *lesson*). (*see:* уро́к)

	SING.	PL.
NOM.	клас	кла́си
GEN.	кла́су	кла́сів
DAT.	кла́су	кла́сам
ACC.	клас	кла́си
INSTR.	кла́сом	кла́сами
PREP.	кла́сі	кла́сах
VOC.	кла́се	кла́си

клуб NOUN

❶ **club** До яко́го клу́бу ти хо́чеш піти́ у шко́лі? *What club do you want to join at school?*
❷ **nightclub** Ви йдете́ в клуб у субо́ту? *Are you going to a nightclub on Saturday?*

	SING.	PL.
NOM.	клуб	клу́би
GEN.	клу́бу	клу́бів
DAT.	клу́бу	клу́бам
ACC.	клуб	клу́би
INSTR.	клу́бом	клу́бами
PREP.	клу́бі	клу́бах
VOC.	клу́бе	клу́би

ключ NOUN

key Ви взя́ли ключ? *Did you take the key?*

	SING.	PL.
NOM.	ключ	ключі̂
GEN.	ключа́	ключі̂в
DAT.	ключу́	ключа́м
ACC.	ключ	ключі̂
INSTR.	ключе́м	ключа́ми
PREP.	ключі̂	ключа́х
VOC.	клю́чу	ключі̂

кни́га NOUN

book Вона́ прочита́ла бага́то книг. *She has read a lot of books.*

	SING.	PL.
NOM.	кни́га	кни́ги
GEN.	кни́ги	книг
DAT.	кни́зі	кни́гам
ACC.	кни́гу	кни́ги

INSTR.	кни́гою	кни́гами
PREP.	кни́зі	кни́гах
VOC.	кни́го	кни́ги

книжко́вий ADJECTIVE

book- **книжко́вий магази́н** *bookstore* Я зна́ю цей книжко́вий магази́н. *I know this bookstore.*

M.	книжко́вий	NT.	книжко́ве
F.	книжко́ва	PL.	книжко́ві

ковбаса́ NOUN

sausage Чому́ ви не лю́бите ковбасу́? *Why don't you like sausage?*

	SING.	PL.
NOM.	ковбаса́	ковба́си
GEN.	ковбаси́	ковба́с
DAT.	ковбасі́	ковба́сам
ACC.	ковбасу́	ковба́си
INSTR.	ковбасо́ю	ковба́сами
PREP.	ковбасі́	ковба́сах
VOC.	ковба́со	ковба́си

ко́жний ADJECTIVE

every, each Ко́жний із нас мріє про мир. *Each of us dreams of peace.*

M.	ко́жний	NT.	ко́жне
F.	ко́жна	PL.	ко́жні

коли́ ADVERB, CONJUNCTION

❶ ADVERB

when Коли́ ти ку́пиш нови́й телефо́н? *When are you buying a new phone?*

❷ CONJUNCTION

when Я прийду́, коли́ ви бу́дете гото́ві. *I will come when you are ready.*

ко́лір NOUN

color Яки́й твій улю́блений ко́лір? *What's your favorite color?*

	SING.	PL.
NOM.	ко́лір	кольори́
GEN.	ко́льору	кольорі̂в
DAT.	ко́льору	кольора́м
ACC.	ко́лір	кольори́
INSTR.	ко́льором	кольора́ми
PREP.	ко́льорі	кольора́х
VOC.	ко́льоре	кольори́

коме́дія NOUN

comedy Олексі́й лю́бить диви́тися коме́дії. *Oleksiy likes to watch comedies.*

	SING.	PL.
NOM.	коме́дія	коме́дії
GEN.	коме́дії	коме́дій
DAT.	коме́дії	коме́діям
ACC.	коме́дію	коме́дії
INSTR.	коме́дією	коме́діями
PREP.	коме́дії	коме́діях
VOC.	коме́діє	коме́дії

комп'ю́тер NOUN

computer Ми не ма́ли комп'ю́тера, коли́ були́ ді́тьми. *We did not have a computer when we were kids.*

	SING.	PL.
NOM.	комп'ютер	комп'ютери
GEN.	комп'ютера	комп'ютерів
DAT.	комп'ютеру	комп'ютерам
ACC.	комп'ютер	комп'ютери
INSTR.	комп'ютером	комп'ютерами
PREP.	комп'ютері	комп'ютерах
VOC.	комп'ютере	комп'ютери

компози́тор NOUN

composer Цей молоди́й компози́тор працю́є в Іта́лії. *This young composer works in Italy.*

	SING.	PL.
NOM.	компози́тор	...зи́тори
GEN.	компози́тора	...зи́торів
DAT.	компози́тору	...зи́торам
ACC.	компози́тора	...зи́торів
INSTR.	компози́тором	...зи́торами
PREP.	компози́торі	...зи́торах
VOC.	компози́торе	...зи́тори

конве́рт NOUN

envelope Скільки ко́штує конве́рт? *How much does an envelope cost?*

	SING.	PL.
NOM.	конве́рт	конве́рти
GEN.	конве́рта	конве́ртів
DAT.	конве́рту	конве́ртам
ACC.	конве́рт	конве́рти
INSTR.	конве́ртом	конве́ртами
PREP.	конве́рті	конве́ртах
VOC.	конве́рте	конве́рти

конце́рт NOUN

concert Конце́рт бу́де у субо́ту. *The concert will be on Saturday.*

	SING.	PL.
NOM.	конце́рт	конце́рти
GEN.	конце́рту	конце́ртів
DAT.	конце́рту	конце́ртам
ACC.	конце́рт	конце́рти
INSTR.	конце́ртом	конце́ртами
PREP.	конце́рті	конце́ртах
VOC.	конце́рте	конце́рти

копі́йка NOUN

kopeck (1/100 hryvnia) Газе́та ко́штує двана́дцять гри́вень п'ятдеся́т копі́йок. *A newspaper costs twelve hryvnias fifty kopecks.*

	SING.	PL.
NOM.	копі́йка	копійки́
GEN.	копі́йки	копійо́к
DAT.	копі́йці	копійка́м
ACC.	копі́йку	копійки́
INSTR.	копі́йкою	копійка́ми
PREP.	копі́йці	копійка́х
VOC.	копі́йко	копійки́

Коре́я NOUN

(geography) **Korea** У Коре́ї до́бра медици́на. *In Korea, they have good medical treatment.*

	SING.		SING.
NOM.	Коре́я	INSTR.	Коре́єю
GEN.	Коре́ї	PREP.	Коре́ї
DAT.	Коре́ї	VOC.	Коре́є
ACC.	Коре́ю		

кори́чневий ADJECTIVE

brown Світла́ні не подо́бається кори́чневий ко́лір. *Svitlana doesn't like the color brown.*

M.	кори́чневий	NT.	кори́чневе
F.	кори́чнева	PL.	кори́чневі

костю́м NOUN

❶ **suit** Це твій нови́й костю́м? *Is this your new suit?*

❷ **costume** Нам потрі́бний украї́нський наро́дний костю́м. *We need a Ukranian folk costume.*

	SING.	PL.
NOM.	костю́м	костю́ми
GEN.	костю́му	костю́мів
DAT.	костю́му	костю́мам
ACC.	костю́м	костю́ми
INSTR.	костю́мом	костю́мами
PREP.	костю́мі	костю́мах
VOC.	костю́ме	костю́ми

коха́ння NOUN, NEUTER, UNCOUNTABLE

(romantic) **love** У них було́ вели́ке коха́ння. *They had a great love.* (*compare:* любо́в)

	SING.	PL.
NOM.	коха́ння	коха́ння
GEN.	коха́ння	коха́нь
DAT.	коха́нню	коха́нням
ACC.	коха́ння	коха́ння
INSTR.	коха́нням	коха́ннями
PREP.	коха́нні	коха́ннях
VOC.	коха́ння	коха́ння

коха́ти IMPERFECTIVE VERB

(romantically) **love** Я коха́ю свою́ дружи́ну. *I love my wife.*

(*perfective verb:* покоха́ти; *compare:* люби́ти)

PRES.	я коха́ю	ми коха́ємо
	ти коха́єш	ви коха́єте
	він коха́є	вони́ коха́ють
PAST	M. коха́в	NT. коха́ло
	F. коха́ла	PL. коха́ли

ко́штувати IMPERFECTIVE VERB

cost Скільки ко́штує кварти́ра у Ки́єві? *How much is an apartment in Kyiv?*

PRES.	я ко́штую	ми ко́штуємо
	ти ко́штуєш	ви ко́штуєте
	він ко́штує	вони́ ко́штують
PAST	M. ко́штував	NT. ко́штувало
	F. ко́штувала	PL. ко́штували

краї́на NOUN

country Скільки краї́н в Євро́пі? *How many countries are there in Europe?*

	SING.	PL.
NOM.	краї́на	краї́ни
GEN.	краї́ни	краї́н
DAT.	краї́ні	краї́нам
ACC.	краї́ну	краї́ни
INSTR.	краї́ною	краї́нами
PREP.	краї́ні	краї́нах
VOC.	краї́но	краї́ни

крі́сло NOUN

armchair Він сидів у кріслі та диви́вся на ме́не. *He sat in the armchair and looked at me.*

	SING.	PL.
NOM.	крі́сло	крі́сла
GEN.	крі́сла	крі́сел
DAT.	крі́слу	крі́слам
ACC.	крі́сло	крі́сла
INSTR.	крі́слом	крі́слами
PREP.	крі́слі	крі́слах
VOC.	крі́сло	крі́сла

куди́ ADVERB, CONJUNCTION

❶ ADVERB

where Куди́ ви ї́здили у се́рпні? *Where did you go in August?*

❷ CONJUNCTION

where Ми не зна́ємо, куди́ вони́ йдуть. *We do not know where they are going.*

купи́ти PERFECTIVE VERB

buy Мені́ потрі́бно купи́ти нову́ су́кню. *I need to buy a new dress.* (*imperfective verb:* купува́ти)

FUT.	я куплю́	ми ку́пимо
	ти ку́пиш	ви ку́пите
	він ку́пить	вони́ ку́плять
PAST	M. купи́в	NT. купи́ло
	F. купи́ла	PL. купи́ли

купува́ти IMPERFECTIVE VERB

buy Ви ча́сто купу́єте молоко́? *Do you often buy milk?* (*perfective verb:* купи́ти)

PRES.	я купу́ю	ми купу́ємо
	ти купу́єш	ви купу́єте
	він купу́є	вони́ купу́ють
PAST	M. купува́в	NT. купува́ло
	F. купува́ла	PL. купува́ли

ку́рка NOUN

chicken Ви лю́бите ку́рку з я́блуками? *Do you like chicken with apples?*

	SING.	PL.
NOM.	ку́рка	курки́
GEN.	ку́рки	куро́к
DAT.	ку́рці	курка́м
ACC.	ку́рку	куро́к
INSTR.	ку́ркою	курка́ми
PREP.	ку́рці	курка́х
VOC.	ку́рко	курки́

курс NOUN

(post-secondary education)

year Я закі́нчила пе́рший курс університе́ту. *I finished the first year of university.*

	SING.	PL.
NOM.	курс	ку́рси
GEN.	ку́рсу	ку́рсів

DAT.	ку́рсу	ку́рсам
ACC.	курс	ку́рси
INSTR.	ку́рсом	ку́рсами
PREP.	ку́рсі	ку́рсах
VOC.	ку́рсе	ку́рси

ку́хня NOUN

❶ **kitchen** У вас вели́ка ку́хня вдо́ма? *Do you have a large kitchen at home?*

❷ **cuisine, food** Нам ду́же подо́бається кита́йська ку́хня. *We love Chinese food.*

	SING.	PL.
NOM.	ку́хня	ку́хні
GEN.	ку́хні	ку́хонь
DAT.	ку́хні	ку́хням
ACC.	ку́хню	ку́хні
INSTR.	ку́хнею	ку́хнями
PREP.	ку́хні	ку́хнях
VOC.	ку́хне	ку́хні

Лл *Лл* *Лл*

ла́мпа NOUN

lamp Нам потрі́бна ла́мпа для робо́ти. *We need a lamp for work.*

	SING.	PL.
NOM.	ла́мпа	ла́мпи
GEN.	ла́мпи	ла́мп
DAT.	ла́мпі	ла́мпам
ACC.	ла́мпу	ла́мпи
INSTR.	ла́мпою	ла́мпами
PREP.	ла́мпі	ла́мпах
VOC.	ла́мпо	ла́мпи

легки́й ADJECTIVE

❶ **light(-weight)** В ме́не легка́ су́мка. *I have a light-weight bag.*
❷ **easy** Це легка́ робо́та. Я зроблю́ її́ шви́дко. *This is an easy job. I'll do it quickly.* (*antonym:* скла́дний)

M.	легки́й	NT.	легке́
F.	легка́	PL.	легкі́

лежа́ти IMPERFECTIVE VERB

lie Чому́ ти лежи́ш на землі́? *Why are you lying on the ground?*

PRES.	я лежу́	ми лежимо́
	ти лежи́ш	ви лежите́
	він лежи́ть	вони́ лежа́ть
PAST	M. лежа́в	NT. лежа́ло
	F. лежа́ла	PL. лежа́ли

ле́кція NOUN

lecture Мені́ сподо́балася ле́кція з істо́рії. А тобі́? *I liked the lecture on history. And you?*

	SING.	PL.
NOM.	ле́кція	ле́кції
GEN.	ле́кції	ле́кцій
DAT.	ле́кції	ле́кціям
ACC.	ле́кцію	ле́кції
INSTR.	ле́кцією	ле́кціями
PREP.	ле́кції	ле́кціях
VOC.	ле́кціє	ле́кції

ли́пень NOUN

July Я завжди́ ї́жджу до бабу́сі у ли́пні. *I always go to my grandmother's in July.*

	SING.	PL.
NOM.	ли́пень	ли́пні
GEN.	ли́пня	ли́пнів
DAT.	ли́пню	ли́пням
ACC.	ли́пень	ли́пні
INSTR.	ли́пнем	ли́пнями
PREP.	ли́пні	ли́пнях
VOC.	ли́пню	ли́пні

лист NOUN

letter Я написа́ла вже два листи́. *I already wrote two letters.*

	SING.	PL.
NOM.	лист	листи́
GEN.	листа́	листі́в
DAT.	листу́	листа́м
ACC.	лист	листи́
INSTR.	листо́м	листа́ми
PREP.	листі́	листа́х
VOC.	ли́сте	листи́

листі́вка NOUN

postcard, greeting card Вчо́ра я надісла́в листі́вку дру́гу до Норве́гії. *Yesterday, I sent a postcard to a friend in Norway.*

	SING.	PL.
NOM.	листі́вка	листі́вки
GEN.	листі́вки	листі́вок
DAT.	листі́вці	листі́вкам
ACC.	листі́вку	листі́вки
INSTR.	листі́вкою	листі́вками
PREP.	листі́вці	листі́вках
VOC.	листі́вко	листі́вки

листопа́д NOUN

November У Брази́лії ду́же те́пло у листопа́ді. *In Brazil, it is very warm in November.*

лі́вий ADJECTIVE

left(-hand) Моє́ лі́ве о́ко ба́чить не так до́бре, як пра́ве. *My left eye doesn't see as good as the right one.* (*antonym:* пра́вий)

M.	лі́вий	NT.	лі́ве
F.	лі́ва	PL.	лі́ві

Лі́вія NOUN

(geography) **Libya** Ви ба́чите Лі́вію на ма́пі? *Can you see Libya on the map?*

	SING.		SING.
NOM.	Лі́вія	INSTR.	Лі́вією
GEN.	Лі́вії	PREP.	Лі́вії
DAT.	Лі́вії	VOC.	Лі́віє
ACC.	Лі́вію		

ліво́руч (від) ADVERB, PREPOSITION

on the left, to the left (of) Ліво́руч від шко́ли розташо́ваний музе́й. *To the left of the school is a museum.* (*antonym:* право́руч)

лі́кар NOUN

doctor Ви зателефонува́ли лі́карю? *Did you call the doctor?*

	SING.	PL.
NOM.	лі́кар	лікарі́
GEN.	лі́каря	лікарі́в
DAT.	лі́карю	лікаря́м
ACC.	лі́каря	лікарі́в
INSTR.	лі́карем	лікаря́ми
PREP.	лі́карі	лікаря́х
VOC.	лі́карю	лікарі́

лі́тера NOUN

(alphabet) **letter** Ви вже зна́єте украї́нські лі́тери? *Can you already read Ukrainian letters?*

	SING.	PL.
NOM.	лі́тера	лі́тери
GEN.	лі́тери	лі́тер
DAT.	лі́тері	лі́терам
ACC.	лі́теру	лі́тери
INSTR.	лі́терою	лі́терами
PREP.	лі́тері	лі́терах
VOC.	лі́теро	лі́тери

літерату́ра NOUN

literature Яка́ літерату́ра вам подо́бається? *What kind of literature do you like?*

	SING.	PL.
NOM.	літерату́ра	літерату́ри
GEN.	літерату́ри	літерату́р
DAT.	літерату́рі	літерату́рам
ACC.	літерату́ру	літерату́ри
INSTR.	літерату́рою	літерату́рами
PREP.	літерату́рі	літерату́рах
VOC.	літерату́ро	літерату́ри

лі́то NOUN

summer Лі́то – це моя́ улю́блена пора́ ро́ку. *Summer is my favorite time of year.* (*antonym:* зима́)

	SING.	PL.
NOM.	лі́то	літа́
GEN.	лі́та	літ
DAT.	лі́ту	літа́м
ACC.	лі́то	літа́
INSTR.	лі́том	літа́ми
PREP.	лі́ті	літа́х
VOC.	лі́то	літа́

ло́жка NOUN

spoon Мені́ потрі́бна ло́жка для су́пу. *I need a spoon for the soup.*

	SING.	PL.
NOM.	ло́жка	ло́жки
GEN.	ло́жки	ло́жок
DAT.	ло́жці	ло́жкам
ACC.	ло́жку	ло́жки
INSTR.	ло́жкою	ло́жками
PREP.	ло́жці	ло́жках
VOC.	ло́жко	ло́жки

Львів NOUN

(geography) **Lviv** Львів ду́же га́рне мі́сто. *Lviv is a very beautiful city.*

	SING.		SING.
NOM.	Львів	INSTR.	Льво́вом
GEN.	Льво́ва	PREP.	Льво́ві
DAT.	Льво́ву	VOC.	Льво́ве
ACC.	Львів		

люби́ти IMPERFECTIVE VERB

❶ **like** (something) Я люблю́ ка́ву, а ти? *I like coffee. Do you?* ❷ *(platonically, not romantically)* **love** (a person) Я ду́же люблю́ сестру́. *I love my sister very much.* (*compare:* коха́ти)

PRES.	я люблю́	ми лю́бимо
	ти лю́биш	ви лю́бите
	він лю́бить	вони́ лю́блять
PAST	M. люби́в	NT. люби́ло
	F. люби́ла	PL. люби́ли

любо́в NOUN, FEMININE, UNCOUNTABLE

(platonic, non-romantic) **love** Любо́в до своїх діте́й – на все життя́. *The love for one's children is for life.* (*compare:* коха́ння)

	SING.		SING.
NOM.	любо́в	INSTR.	любо́в'ю
GEN.	любо́ві	PREP.	любо́ві
DAT.	любо́ві	VOC.	любо́ве
ACC.	любо́в		

люди́на NOUN

person, human Ваш ба́тько ду́же хоро́ша люди́на! *Your father is a very good person!* **лю́ди** *people* Лю́ди втоми́лися і хо́чуть відпочива́ти. *The people are tired and want to rest.*

⚠ Notice that the word люди́на is feminine, and, as in the first example above, its adjective is feminine even when it refers to a man.

	SING.	PL.
NOM.	люди́на	лю́ди
GEN.	люди́ни	люде́й
DAT.	люди́ні	лю́дям
ACC.	люди́ну	люде́й
INSTR.	люди́ною	людьми́
PREP.	люди́ні	лю́дях
VOC.	люди́но	лю́ди

лю́тий NOUN

February У лю́тому ми ї́демо до А́зії. *In February, we are going to Asia.*

	SING.	PL.
NOM.	лю́тий	лю́ті
GEN.	лю́того	лю́тих
DAT.	лю́тому	лю́тим
ACC.	лю́тий	лю́ті
INSTR.	лю́тим	лю́тими
PREP.	лю́тому	лю́тих
VOC.	лю́тий	лю́ті

Мм *Мм* *Мм*

м'ясо NOUN, UNCOUNTABLE

meat Чому́ ви не їсте́ м'ясо? *Why don't you eat meat?*

	SING.		SING.
NOM.	м'ясо	INSTR.	м'ясом
GEN.	м'яса	PREP.	м'ясі
DAT.	м'ясу	VOC.	м'ясо
ACC.	м'ясо		

магази́н NOUN

store, shop Марія була́ у магази́ні? Що вона́ купи́ла? *Was Maria at the store? What did she buy?*

False friend: Магази́н does not mean *magazine!*

	SING.	PL.
NOM.	магази́н	магази́ни
GEN.	магази́ну	магази́нів
DAT.	магази́ну	магази́нам
ACC.	магази́н	магази́ни
INSTR.	магази́ном	магази́нами
PREP.	магази́ні	магази́нах
VOC.	магази́не	магази́ни

магнітофо́н NOUN

tape recorder Це ду́же стари́й магнітофо́н. *This is a very old tape recorder.*

	SING.	PL.
NOM.	магнітофо́н	магнітофо́ни
GEN.	магнітофо́ну	магнітофо́нів
DAT.	магнітофо́ну	магнітофо́нам
ACC.	магнітофо́н	магнітофо́ни
INSTR.	магнітофо́ном	магнітофо́нами
PREP.	магнітофо́ні	магнітофо́нах
VOC.	магнітофо́не	магнітофо́ни

майбу́тній ADJECTIVE

future- Мико́ла – майбу́тній арти́ст. *Mikola is a future entertainer.*

M.	майбу́тній	NT.	майбу́тнє
F.	майбу́тня	PL.	майбу́тні

майда́н NOUN

square, plaza

Майда́н Незале́жності – це відо́ме мі́сце у Ки́єві. *Nezalezhnosti Square is a famous place in Kyiv.*

	SING.	PL.
NOM.	майда́н	майда́ни
GEN.	майда́ну	майда́нів
DAT.	майда́ну	майда́нам
ACC.	майда́н	майда́ни
INSTR.	майда́ном	майда́нами
PREP.	майда́ні	майда́нах
VOC.	майда́не	майда́ни

ма́йже ADVERB

nearly, almost Вже ма́йже де́в'ять годи́н. *It's already almost nine o'clock.*

мале́нький ADJECTIVE

little, small Їх ді́ти ще мале́нькі. *Their children are still small.* (*antonym:* вели́кий)

M.	мале́нький	NT.	мале́ньке
F.	мале́нька	PL.	мале́нькі

ма́ло ADVERB

(+ genitive case) **few, not many** Оле́г має ма́ло дру́зів. *Oleg has few friends.* (*antonym:* бага́то)

малюва́ти IMPERFECTIVE VERB

draw, paint Ви до́бре малю́єте? *Are you good at drawing?* (*perfective verb:* намалюва́ти)

PRES.	я малю́ю	ми малю́ємо
	ти малю́єш	ви малю́єте
	він малю́є	вони́ малю́ють
PAST	M. малюва́в	NT. малюва́ло
	F. малюва́ла	PL. малюва́ли

ма́ма NOUN

mom Ма́ма завжди́ ду́має про нас. *Mom always thinks of us.* (*synonym:* ма́ти; *antonym:* та́то)

	SING.	PL.
NOM.	ма́ма	ма́ми
GEN.	ма́ми	мам
DAT.	ма́мі	ма́мам
ACC.	ма́му	мам
INSTR.	ма́мою	ма́мами
PREP.	ма́мі	ма́мах
VOC.	ма́мо	ма́ми

ма́па NOUN

map Вам потрі́бна ма́па? *Do you need a map?*

	SING.	PL.
NOM.	ма́па	ма́пи
GEN.	ма́пи	мап
DAT.	ма́пі	ма́пам
ACC.	ма́пу	ма́пи
INSTR.	ма́пою	ма́пами
PREP.	ма́пі	ма́пах
VOC.	ма́по	ма́пи

ма́рка NOUN

(postage) stamp На конве́рті є ма́рки? *Are there stamps on the envelope?*

	SING.	PL.
NOM.	ма́рка	ма́рки
GEN.	ма́рки	ма́рок
DAT.	ма́рці	ма́ркам
ACC.	ма́рку	ма́рки
INSTR.	ма́ркою	ма́рками
PREP.	ма́рці	ма́рках
VOC.	ма́рко	ма́рки

ма́сло NOUN

butter Я ду́маю, що всі лю́блять хліб із ма́слом. *I think everyone likes bread with butter.*

	SING.	PL.
NOM.	ма́сло	масла́
GEN.	ма́сла	ма́сел
DAT.	ма́слу	масла́м
ACC.	ма́сло	масла́
INSTR.	ма́слом	масла́ми
PREP.	ма́слі	масла́х
VOC.	ма́сло	масла́

матема́тик NOUN

mathematician Дя́дько Лари́си – відо́мий матема́тик. *Larisa's uncle is a famous mathematician.*

	SING.	PL.
NOM.	матема́тик	матема́тики
GEN.	матема́тика	матема́тиків
DAT.	матема́тику	матема́тикам
ACC.	матема́тика	матема́тиків
INSTR.	матема́тиком	матема́тиками
PREP.	матема́тику	матема́тиках
VOC.	матема́тику	матема́тики

матема́тика NOUN, UNCOUNTABLE

mathematics Ми не вивча́ємо матема́тику в університе́ті. *We don't study mathematics at university.*

	SING.		SING.
NOM.	матема́тика	INSTR.	матема́тикою
GEN.	матема́тики	PREP.	матема́тиці
DAT.	матема́тиці	VOC.	матема́тико
ACC.	матема́тику		

ма́ти NOUN

mother Ва́ша ма́ти живе́ в Іспа́нії? *Does your mother live in Spain?* (*synonym:* ма́ма; *antonym:* ба́тько)

	SING.	PL.
NOM.	ма́ти	матері̂
GEN.	ма́тері	матері̂в
DAT.	ма́тері	матеря́м
ACC.	ма́тір	матері̂в
INSTR.	ма́тір'ю	матеря́ми
PREP.	ма́тері	матеря́х
VOC.	ма́ти	матері̂

ма́ти IMPERFECTIVE VERB

have Вони́ не ма́ють діте́й. *They don't have any children.*

PRES.	я ма́ю	ми ма́ємо
	ти ма́єш	ви ма́єте

	він ма́є	вони́ ма́ють
PAST	M. мав	NT. ма́ло
	F. ма́ла	PL. ма́ли

медици́на NOUN, UNCOUNTABLE

medicine, medical treatment У вас у краї́ні до́бра медици́на? *Do you have good medical treatment in your country?*

	SING.	PL.
NOM.	медици́на	медици́ни
GEN.	медици́ни	медици́н
DAT.	медици́ні	медици́нам
ACC.	медици́ну	медици́ни
INSTR.	медици́ною	медици́нами
PREP.	медици́ні	медици́нах
VOC.	медици́но	медици́ни

Ме́ксика NOUN

(geography) **Mexico** Які́ міста́ Ме́ксики ви зна́єте? *Which cities in Mexico do you know?*

	SING.
NOM.	Ме́ксика
GEN.	Ме́ксики
DAT.	Ме́ксиці
ACC.	Ме́ксику
INSTR.	Ме́ксикою
PREP.	Ме́ксиці
VOC.	Ме́ксико

мене́ PRONOUN, GENITIVE/ACCUSATIVE

❶ ACCUSATIVE **me** Ви слу́хаєте мене́? *Are you listening to me?* **про ме́не** *about me* У газе́ті є стаття́ про ме́не. *There is an article about me in the newspaper.*

❷ GENITIVE **me у ме́не...** *I have...* У ме́не бага́то дру́зів. *I have a lot of friends.*

(*see also:* я)

⚠ After a preposition, the stress shifts to the first syllable: ме́не.

ме́неджер NOUN

manager Ви вже зателефонува́ли до ме́неджера? *Have you already called the manager?*

⚠ Ме́неджер, like most words denoting occupations, is masculine but can be used for either a man or a woman.

	SING.	PL.
NOM.	ме́неджер	ме́неджери
GEN.	ме́неджера	ме́неджерів
DAT.	ме́неджеру	ме́неджерам
ACC.	ме́неджера	ме́неджерів
INSTR.	ме́неджером	ме́неджерами
PREP.	ме́неджері	ме́неджерах
VOC.	ме́неджере	ме́неджери

мені́ PRONOUN, DATIVE DATIVE

(to) me Зателефону́й мені́ о во́сьмій ве́чора, до́бре? *Call me at 8 p.m., okay?* (*see also:* я)

метр NOUN

meter Оди́н кіломе́тр – це ти́сяча ме́трів. *One kilometer is one thousand meters.*

	SING.	PL.
NOM.	метр	ме́три
GEN.	ме́тра	ме́трів
DAT.	ме́тру	ме́трам
ACC.	метр	ме́три
INSTR.	ме́тром	ме́трами
PREP.	ме́трі	ме́трах
VOC.	ме́тре	ме́три

метро́ NOUN, INDECLINABE

subway Ви ча́сто ї́здите на метро́? *Do you often take the subway?*

⚠ Метро́ is indeclinable. It does not change form for case or number.

ме́шканець NOUN

inhabitant Ме́шканці мі́ста лю́блять гуля́ти у па́рку.

Residents of the city like a walk in the park.

	SING.	PL.
NOM.	ме́шканець	ме́шканці
GEN.	ме́шканця	ме́шканців
DAT.	ме́шканцю	ме́шканцям
ACC.	ме́шканця	ме́шканців
INSTR.	ме́шканцем	ме́шканцями
PREP.	ме́шканці	ме́шканцях
VOC.	ме́шканцю	ме́шканці

ме́шкати IMPERFECTIVE VERB

stay Ми бу́демо ме́шкати в готе́лі? *Are we going to stay at a hotel?*

PRES.	я ме́шкаю	ми ме́шкаємо
	ти ме́шкаєш	ви ме́шкаєте
	він ме́шкає	вони́ ме́шкають
PAST	M. ме́шкав	NT. ме́шкало
	F. ме́шкала	PL. ме́шкали

ми PRONOUN, NOMINATIVE

❶ **we** Ми вже закі́нчили університе́т. *We have already graduated from university.*
❷ **we are** Ми студе́нти. *We are students.*

NOM.	ми	ACC.	нас
GEN.	нас	INSTR.	на́ми
DAT.	нам	PREP.	нас

мина́ти IMPERFECTIVE VERB

(time) **go by, pass** Час мина́є ду́же шви́дко. *Time goes by very quickly.*

PRES.	я мина́ю	ми мина́ємо
	ти мина́єш	ви мина́єте
	він мина́є	вони́ мина́ють
PAST	M. мина́в	NT. мина́ло
	F. мина́ла	PL. мина́ли

мисте́цтво NOUN

art Ти розумі́єш мисте́цтво? *Do you understand art?*

	SING.	PL.
NOM.	мисте́цтво	мисте́цтва
GEN.	мисте́цтва	мисте́цтв
DAT.	мисте́цтву	мисте́цтвам
ACC.	мисте́цтво	мисте́цтва
INSTR.	мисте́цтвом	мисте́цтвами
PREP.	мисте́цтві	мисте́цтвах
VOC.	мисте́цтво	мисте́цтва

мій PRONOUN, POSSESSIVE **my** Де мої́ ключі́? *Where are my keys?*

M.	мій	NT.	моє́
F.	моя́	PL.	мої́

мі́сто NOUN

city Це мі́сто неподалі́к. *This city is nearby.*

	SING.	PL.
NOM.	мі́сто	міста́
GEN.	мі́ста	міст
DAT.	мі́сту	міста́м
ACC.	мі́сто	міста́
INSTR.	мі́стом	міста́ми
PREP.	мі́сті	міста́х
VOC.	мі́сто	міста́

мі́сце NOUN

place Зустріча́ємось на старо́му мі́сці. *We meet in the old place.*

	SING.	PL.
NOM.	мі́сце	місця́
GEN.	мі́сця	місць
DAT.	мі́сцю	місця́м
ACC.	мі́сце	місця́
INSTR.	мі́сцем	місця́ми
PREP.	мі́сці	місця́х
VOC.	мі́сче	місця́

місько́й ADJECTIVE

municipal, city- Це улю́блений місько́й парк О́льги. *This is Olga's favorite city park.*

M.	місько́й	NT.	міське́
F.	міська́	PL.	міські́

мі́сяць NOUN

month Я хо́джу в басе́йн тричі́ на мі́сяць. *I go to the pool three times a month.*

	SING.	PL.
NOM.	мі́сяць	мі́сяці
GEN.	мі́сяця	мі́сяців
DAT.	мі́сяцю	місяця́м
ACC.	мі́сяць	мі́сяці
INSTR.	мі́сяцем	місяця́ми
PREP.	мі́сяці	місяця́х
VOC.	мі́сяцю	мі́сяці

мно́ю PRONOUN, INSTRUMENTAL

me Ти мо́жешь мно́ю пиша́тися. **зі мно́ю** *with me* Ви танцюва́тимете зі мно́ю? *Will you dance with me?* (*see also:* я)

мо́ва NOUN

language Яка́ мо́ва вам подо́бається? *What language do you like?*

	SING.	PL.
NOM.	мо́ва	мо́ви
GEN.	мо́ви	мов
DAT.	мо́ві	мо́вам
ACC.	мо́ву	мо́ви
INSTR.	мо́вою	мо́вами
PREP.	мо́ві	мо́вах
VOC.	мо́во	мо́ви

могти́ IMPERFECTIVE VERB

❶ *(present tense)* **can, is able to** Ти мо́жеш зателефонува́ти мені́ о дев'я́тій? *Can you call me at nine?*

❷ *(past)* **could, was able to** Чому́ ти не міг зателефонува́ти мені́? *Why couldn't you call me?* (*perfective verb:* змогти́)

PRES.	я мо́жу	ми мо́жемо
	ти мо́жеш	ви мо́жете
	він мо́же	вони́ мо́жуть
PAST	M. міг	NT. могло́
	F. могла́	PL. могли́

можли́во PARENTHETICAL WORD

maybe Можли́во, ти пра́вий. *Maybe you're right.*

мо́жна PREDICATIVE ADJECTIVE

❶ *(possibility)* **can, could** Сього́дні до́бра пого́да. Мо́жна гра́ти у футбо́л. *The weather is nice today. We can play soccer.* **не мо́жна** *is impossible, cannot* Не мо́жна ви́вчити украї́нську мо́ву без грама́тики. *You can't learn Ukrainian without grammar.*

❷ *(permission)* **can, may** Мо́жна спита́ти? *May I ask something?* **не мо́жна** *is not allowed, must not, cannot* Тут не мо́жна фотографува́ти. *You cannot take photographs here.* (*antonym:* можно)

молоди́й ADJECTIVE

young Цей молоди́й чолові́к приї́хав із Брази́лії. *This young man came from Brazil.* (*antonym:* стари́й)

M.	молоди́й	NT.	молоде́
F.	молода́	PL.	молоді́

моло́дший ADJECTIVE

younger, youngest У ме́не є моло́дша сестра́. *I have a younger sister.* (*antonym:* ста́рший)

M.	моло́дший	NT.	моло́дше
F.	моло́дша	PL.	моло́дші

молоко́ NOUN, UNCOUNTABLE

milk Мені́ не мо́жна пи́ти молоко́. *I cannot drink milk.*

	SING.		SING.
NOM.	молоко́	INSTR.	молоко́м
GEN.	молока́	PREP.	молоці́
DAT.	молоку́	VOC.	молоко́
ACC.	молоко́		

мо́ре NOUN

sea Чо́рне мо́ре холо́дне? *Is the Black Sea cold?*

	SING.	PL.
NOM.	мо́ре	моря́
GEN.	мо́ря	морі̂в
DAT.	мо́рю	моря́м
ACC.	мо́ре	моря́
INSTR.	мо́рем	моря́ми
PREP.	мо́рі	моря́х
VOC.	мо́ре	моря́

моро́зиво NOUN

ice cream Я не їм моро́зива взи́мку. *I do not eat ice cream in the winter.*

	SING.		SING.
NOM.	моро́зиво	INSTR.	моро́зивом
GEN.	моро́зива	PREP.	моро́зиві
DAT.	моро́зиву	VOC.	моро́зиво
ACC.	моро́зиво		

мрі́яти IMPERFECTIVE VERB

dream Я мрі́ю про буди́нок бі́ля мо́ря. *I dream of a house by the sea.*

PRES.	я мрі̂ю	ми мрі̂ємо
	ти мрі̂єш	ви мрі̂єте
	він мрі̂є	вони́ мрі̂ють
PAST	M. мрі̂яв	NT. мрі̂яло
	F. мрі̂яла	PL. мрі̂яли

музе́й NOUN

museum Ми лю́бимо ходи́ти до музе́ю мисте́цтв. *We love to go to the art museum.*

	SING.	PL.
NOM.	музе́й	музе́ї
GEN.	музе́ю	музе́їв
DAT.	музе́ю	музе́ям
ACC.	музе́й	музе́ї
INSTR.	музе́єм	музе́ями
PREP.	музе́ї	музе́ях
VOC.	музе́ю	музе́ї

му́зика NOUN, UNCOUNTABLE

music Яка́ му́зика тобі подо́бається? *What kind of music do you like?*

	SING.		SING.
NOM.	му́зика	INSTR.	му́зикою
GEN.	му́зики	PREP.	му́зиці
DAT.	му́зиці	VOC.	му́зико
ACC.	му́зику		

Нн *Нн* *Нн*

на PREPOSITION

❶ *(+ prepositional case)* **on** Твої́ кни́ги на столі́. *Your books are on the table.* На ньо́му черво́на соро́чка. *He is wearing a red shirt. (He has a red shirt on.)*

⚠ Notice the idiomatic usage of на in the second example above to express what someone has on; literally 'on him [is] a red shirt.'

❷ *(+ prepositional case)* **at** Ви були́ на конце́рті сього́дні? *Were you at the concert last night?*

❸ *(+ accusative case)* **to** Зві́сно, ми хо́димо на робо́ту щодня́. *Of course, we go to work every day.* (*antonym:* з)

❹ *(verb of motion + на + accusative case)* **for** Я приї́хав в Украї́ну на два ти́жні. *I came to Ukraine for two weeks.*

навесні́ ADVERB

in the spring Батьки́ приї́хали навесні́. *My parents came in the spring.* (*antonym:* восени́)

на́віть PARTICLE

even Він на́віть не подиви́вся на ме́не. *He did not even look at me.*

наві́що ADVERB

what for, why Наві́що ви ї́дете до Ки́єва? *What are you going to Kyiv for?*

навча́ти IMPERFECTIVE VERB

teach Ви навча́єте ті́льки діте́й? *Do you teach children only?* (*perfective verb:* навчи́ти)

PRES.	я навча́ю	ми навча́ємо
	ти навча́єш	ви навча́єте
	він навча́є	вони́ навча́ють
PAST	M. навча́в	NT. навча́ло
	F. навча́ла	PL. навча́ли

навча́тися IMPERFECTIVE VERB

study, learn, go to school Світла́на навча́ється у Ки́єві. *Svetlana is studying in Kyiv.* (*perfective verb:* навчи́тися)

PRES.	навча́юся	навча́ємося
	навча́єш	навча́єтеся
	навча́ється	навча́ються
PAST	M. навча́вся	NT. навча́лося
	F. навча́лася	PL. навча́лися

надво́рі ADVERB

outside Де Та́ня? – Вона́ надво́рі. *Where is Tanya? – She's outside.*

надісла́ти PERFECTIVE VERB

mail, send Мені́ обов'язко́во тре́ба надісла́ти листа́ за́втра. *I definitely need to mail a letter tomorrow.* (*imperfective verb:* надсила́ти)

FUT.	надішлю́	надішле́мо
	надішле́ш	надішле́те
	надішле́	надішлю́ть
PAST	M. надісла́в	NT. надісла́ло
	F. надіста́ла	PL. надісла́ли

надсила́ти IMPERFECTIVE VERB

mail, send Наві́що ти надсила́єш два листи́? *Why would you mail two letters?* (*perfective verb:* надісла́ти)

PRES.	надсила́ю	надсила́ємо
	надсила́єш	надсила́єте
	надсила́є	надсила́ють

PAST	м. надсила́в	NT. надсила́ло
	F. надсила́ла	PL. надсила́ли

наза́д ADVERB

back, backward Я не хо́чу ї́хати наза́д. Вже так пі́зно. *I do not want to go back. It's so late.*

назива́тися IMPERFECTIVE VERB

be called, be named Як назива́ється це мі́сто? *What's the name of this city?*

⚠ This verb is only used for inanimate objects. (*compare:* звать)

PRES.	назива́юся	назива́ємося
	назива́єшся	назива́єтеся
	назива́ється	назива́ються
PAST	м. назива́вся	NT. назива́лося
	F. назива́лася	PL. назива́лися

нам PRONOUN, DATIVE

(to) us Нам подо́бається нова́ шко́ла. *We like the new school.* Батьки́ подарува́ли нам телеві́зор. *Our parents gave us a TV.* (*see also:* ми)

намалюва́ти PERFECTIVE VERB

draw, paint Хто це намалюва́в? *Who drew this?* (*imperfective verb:* малюва́ти)

FUT.	намалю́ю	намалю́ємо
	намалю́єш	намалю́єте
	намалю́є	намалю́ють
PAST	м. намалюва́в	NT. намалюва́ло
	F. намалюва́ла	PL. намалюва́ли

на́ми PRONOUN, INSTRUMENTAL **us з на́ми** *with us* Ба́тько лю́бить гра́ти з на́ми. *Dad loves to play with us.* (*see also:* ми)

написа́ти PERFECTIVE VERB

write Ви пови́нні написа́ти листа́ ме́неджеру. *You must write a letter to the manager.* (*imperfective verb:* писа́ти)

FUT.	я напишу́	ми напи́шемо
	ти напи́шеш	ви напи́шете
	він напи́ше	вони́ напи́шуть
PAST	м. написа́в	NT. написа́ло
	F. написа́ла	PL. написа́ли

напри́клад PARTICLE

for example, for instance Я ду́же люблю́ відпочива́ти в А́зії, напри́клад, у Таїла́нді. *I love to vacation in Asia, for example, in Thailand.*

наро́д NOUN

people, folk Тепе́р ви до́бре розумі́єте украї́нський наро́д. *Now you understand the Ukrainian people better.*

	SING.	PL.
NOM.	наро́д	наро́ди
GEN.	наро́ду	наро́дів
DAT.	наро́ду	наро́дам
ACC.	наро́д	наро́ди
INSTR.	наро́дом	наро́дами
PREP.	наро́ді	наро́дах
VOC.	наро́де	наро́ди

наро́дження NOUN, NEUTER **birth** Коли́ у вас день наро́дження? *When is your birthday?* **З Днем наро́дження!** *Happy birthday!*

	SING.	PL.
NOM.	наро́дження	наро́дження
GEN.	наро́дження	наро́джень
DAT.	наро́дженню	наро́дженням
ACC.	наро́дження	наро́дження
INSTR.	наро́дженням	наро́дженнями
PREP.	наро́дженні	наро́дженнях
VOC.	наро́дження	наро́дження

народи́тися PERFECTIVE VERB

be born Ви народи́лися у Шве́ції? *Were you born in Sweden?* (*antonym:* поме́рти; *imperfective verb:* наро́джуватися/роди́тися)

FUT.	народжу́ся	наро́димося
	наро́дишся	наро́дитеся
	наро́диться	наро́дяться
PAST	M. народи́вся	NT. народи́лося
	F. народи́лася	PL. народи́лися

наро́дний ADJECTIVE

people's, folk, popular, national Вам подо́бається ця украї́нська наро́дна пі́сня? *Do you like this Ukrainian folk song?*

M.	наро́дний	NT.	наро́дне
F.	наро́дна	PL.	наро́дні

нас PRONOUN, GENITIVE/ACCUSATIVE/ PREPOSITIONAL

❶ GENITIVE **us** У нас нема́ квиткі́в. *We don't have any tickets.* (*see also:* ми)

❷ ACCUSATIVE **us** Ви запам'ята́єте нас? *Do you remember us?* Що ви сказа́ли про нас? *What did they tell you about us?* (*see also:* ми)

насту́пний ADJECTIVE

next, following Насту́пного ра́зу ми пої́демо до Фра́нції. *Next time, we will go to France.*

M.	насту́пний	NT.	насту́пне
F.	насту́пна	PL.	насту́пні

нау́ка NOUN

science Я не мо́жу жи́ти без нау́ки. *I cannot live without science.*

	SING.	PL.
NOM.	нау́ка	нау́ки
GEN.	нау́ки	нау́к
DAT.	нау́ці	нау́кам
ACC.	нау́ку	нау́ки
INSTR.	нау́кою	нау́ками
PREP.	нау́ці	нау́ках
VOC.	нау́ко	нау́ки

науко́вий ADJECTIVE

scientific У вас у мі́сті є науко́вий інститу́т? *Do you have a scientific institution in your city?*

M.	науко́вий	NT.	науко́ве
F.	науко́ва	PL.	науко́ві

націона́льний ADJECTIVE

national Ви ба́чили украї́нський націона́льний костю́м? *Have you seen the Ukrainian national costume?*

M.	націона́льний	NT.	націона́льне
F.	націона́льна	PL.	націона́льні

наш PRONOUN, POSSESSIVE **our**

Ви отри́мали на́шу ві́дповідь? *Did you get our answer?*

M.	наш	NT.	на́ше
F.	на́ша	PL.	на́ші

не PARTICLE

not Я не розмовля́ю англі́йською. *I do not speak English.* **не ті́льки.... а й ...** *not only..., but also...* Він гово́рить не ті́льки украї́нською, а й англі́йською та францу́зською. *He speaks not only Ukrainian but also English and French.*

неді́ля NOUN

Sunday **у/в неді́лю** *on Sunday* Що ти роби́тимеш у неді́лю? *What are you going to do on Sunday?* **щонеді́лі** *on Sundays*

	SING.	PL.
NOM.	неді́ля	неді́лі
GEN.	неді́лі	неді́ль
DAT.	неді́лі	неді́лям
ACC.	неді́лю	неді́лі
INSTR.	неді́лею	неді́лями
PREP.	неді́лі	неді́лях
VOC.	неді́ле	неді́лі

не́ї PRONOUN, FEMININE, GENITIVE/ACCUSATIVE

(preposition +) **her, it** Я зро́блю все для не́ї. *I'll do anything for*

her. **У неї́ є...** *she has...* У неї́ є ді́ти? *Does she have children?* **у неї немá...** *she does not have...* У неї́ немá дрýзів у Єги́пті. *She doesn't have any friends in Egypt.* (*see also:* вонá)

⚠ Неї is used after a preposition. (*compare:* її)

немá (немáє) PARTICLE

(*+ genitive case*) **there is/are no, not any** Тут немá води́. *There is no water here.* (*antonym:* є)

неподалі́к ADVERB

near, close by, not far – Ки́їв далéко від вас? – Ні неподалі́к. *Is Kyiv far from you? – No, not far.* **неподалі́к (від)** *near, close to, not far from* Іри́на живé неподалі́к (від) нас. *Irina lives near us.* (*synonym:* бли́зько; *antonym:* далéко)

нещодáвно ADVERB

recently, not long ago Нещодáвно ми купи́ли кварти́ру. *We recently bought an apartment.*

нéю PRONOUN, FEMININE, INSTRUMENTAL

her, it Якá погáна рýчка! Я не мóжу нéю писáти! *What a bad pen! I can't write with it.* - Ти не бáчив Олéну? – Бáчив, я гуля́в із нéю сьогóдні. *Have you seen Lena? – Yes, I have. I was walking with her today.* **з нéю** *with her* (*see also:* вонá)

ним PRONOUN, MASCULINE/NEUTER, INSTRUMENTAL

him – Ти писáтимеш олівцéм? – Так, мені́ подóбається ним писáти. *Are you going to write with a pencil? – Yes, I like writing with it.* **з ним** *with him* Ми не бýдемо говори́ти з ним. *We will not talk with him.* (*see also:* він, вонó)

ни́ми PRONOUN, PLURAL, INSTRUMENTAL

them з ни́ми *with them* Ви бажáєте йти з ни́ми? *Do you want to go with them?* (*see also:* вони́)

них PRONOUN, PREPOSITIONAL

them Я написáв статтю́ про них. *I wrote an article about them.* (*see also:* вони́)

⚠ Них is used after a preposition. (*compare:* їх)

ні PARTICLE

no – Ви говóрите німе́цькою? – Ні, не говорю́. *Do you speak German? – No, I don't.* (*antonym:* так)

ніж NOUN

knife У нас немá ножá. *We do not have a knife.*

	SING.	PL.
NOM.	ніж	ножі́
GEN.	ножá	ножі́в
DAT.	ножý	ножáм
ACC.	ніж	ножі́
INSTR.	ножéм	ножáми
PREP.	ножі́	ножáх
VOC.	нóже	ножі́

ній PRONOUN, PREPOSITIONAL

her, it На ній булó блаки́тне пальтó. *She was wearing a blue coat.* (*see also*: вонá)

нікóли ADVERB

never Я нікóли не був у Австрáлії. *I've never been to Australia.* (*antonym:* завжди́)

⚠ Notice the double negation. With a negative adverb, you still need the negative particle не. (*see also:* ніхто́, нічо́го, нішо́)

ні́ку́ди ADVERB

nowhere Вони́ не хо́чуть ні́ку́ди йти. *They do not want to go anywhere.*

ні́мець NOUN

German Вчо́ра до готе́лю приї́хала гру́па ні́мців. *Yesterday a group of Germans came to the hotel.*

	SING.	PL.
NOM.	ні́мець	ні́мці
GEN.	ні́мця	ні́мців
DAT.	ні́мцю	ні́мцям
ACC.	ні́мця	ні́мців
INSTR.	ні́мцем	ні́мцями
PREP.	ні́мці	ні́мцях
VOC.	ні́мцю	ні́мці

німе́цький ADJECTIVE

German Ти зна́єш, що то німе́цька авті́вка? *Do you know that it's a German car?* (see *note:* америка́нський)

M.	німе́цький	NT.	німе́цьке
F.	німе́цька	PL.	німе́цькі

німе́цькою ADVERB

(in) German Раніше я говори́ла німе́цькою. *I used to speak German.*

Німе́ччина NOUN

(geography) **Germany** Оста́п давно́ живе́ у Німе́ччині. *Ostap has lived in Germany for a long time.*

	SING.		SING.
NOM.	Німе́ччина	INSTR.	Німе́ччиною
GEN.	Німе́ччини	PREP.	Німе́ччині
DAT.	Німе́ччині	VOC.	Німе́ччино
ACC.	Німе́ччину		

німке́ня NOUN

German А́нна – німке́ня, але́ живе́ в А́встрії. *Anna is German, but she lives in Austria.*

	SING.	PL.
NOM.	німке́ня	німке́ні
GEN.	німке́ні	німке́нь
DAT.	німке́ні	німке́ням
ACC.	німке́ню	німке́нь
INSTR.	німке́нею	німке́нями
PREP.	німке́ні	німке́нях
VOC.	німке́не	німке́ні

ніхто́ PRONOUN

no one, nobody Ніхто́ не знає, де Дмитро́. *No one knows where Dmitro is.*

ніч NOUN, FEMININE

night Сього́дні ду́же га́рна ніч, так? *It's a very beautiful night tonight, isn't it?* (*compare:* уночі́*; antonym:* день)

нічо́го PRONOUN, INTERJECTION

❶ PRONOUN, GENITIVE/ACCUSATIVE

nothing Ми нічо́го не зна́ємо про Аме́рику. *We don't know anything about America.*

❷ INTERJECTION

never mind, it's okay Нічо́го! Це нева́жливо. *Never mind. It's not important.*

ніщо́ PRONOUN, NOMINATIVE

nothing Ніщо́ не ви́рішить пробле́му із ві́зою. *Nothing will solve the problem with the visa.*

нови́й ADJECTIVE

new Диві́ться, це моя́ нова́ шко́ла. *Look, this is my new school.* (*antonym:* стари́й)

M.	нови́й	NT.	нове́
F.	нова́	PL.	нові́

новина́ NOUN

(piece of) news О! Чудо́ва новина́! *Oh! That's great news!* Ви диви́лися нови́ни сього́дні? *Have you watched the news today?*

	SING.	PL.
NOM.	новина́	нови́ни
GEN.	новини́	нови́н
DAT.	новині́	нови́нам
ACC.	новину́	нови́ни
INSTR.	новино́ю	нови́нами
PREP.	новині́	нови́нах
VOC.	нови́но	нови́ни

нога́ NOUN

❶ **leg** У люди́ни дві руки́ та дві ноги́. *A person has two arms and two legs.*

❷ **foot** У ньо́го вели́кі но́ги. *He has big feet.*

	SING.	PL.
NOM.	нога́	но́ги
GEN.	ноги́	ніг
DAT.	нозі́	нога́м
ACC.	но́гу	но́ги
INSTR.	ного́ю	нога́ми
PREP.	нозі́	нога́х
VOC.	но́го	но́ги

но́мер NOUN

❶ **number** Яки́й у вас но́мер телефо́ну? *What's your phone number?*

❷ **hotel room** Наш но́мер ліво́руч від вхо́ду. *Our hotel room is to the left of the (main) entrance.*

	SING.	PL.
NOM.	но́мер	номери́
GEN.	но́мера	номері́в
DAT.	но́меру	номера́м
ACC.	но́мер	номери́
INSTR.	но́мером	номера́ми
PREP.	но́мері	номера́х
VOC.	но́мере	номери́

Норве́гія NOUN

(geography) **Norway** У Норве́гії га́рна приро́да. *In Norway, nature is beautiful.*

	SING.		SING.
NOM.	Норве́гія	INSTR.	Норве́гією
GEN.	Норве́гії	PREP.	Норве́гії
DAT.	Норве́гії	VOC.	Норве́гіє
ACC.	Норве́гію		

норма́льно ADVERB

❶ **normally** – Не говори́ так шви́дко, будь ла́ска. – Але́ я гово́рю норма́льно! *Don't speak so quickly, please. – But I'm speaking normally!*

❷ **fine** – Як ти? – Норма́льно, дя́кую. *How are you? – Fine, thanks.*

но́чі ADVERB

a.m., in the morning Що ти ро́биш там о дру́гій годи́ні но́чі? *What are you doing there at two in the morning?*

⚠ Но́чи is used for 12 a.m. - 4 a.m. (*compare:* ра́нку, дня, ве́чора)

ньо́го PRONOUN, MASCULINE, NEUTER

❶ GENITIVE **him, it у ньо́го є...** *he has...* У ньо́го є сестра́? *Does he have a sister?* **у ньо́го нема́...** *he does not have...* (*see also*: у) В ньо́го нема́ ча́су. *He doesn't have time.*

❷ ACCUSATIVE **him, it** Що лю́ди ка́жуть про ньо́го? *What do people say about him*
(*see also:* він, воно́)

⚠ Ньо́го is used after a preposition. (*compare:* його́)

ньо́му PRONOUN, MASCULINE/NEUTER, PREPOSITIONAL

him, it Я купи́в буди́нок. У ньо́му є все, що нам потрі́бне. *I bought a house. It has everything we need in it.*
(*see also:* він, воно́)

Оо *Оо* *Оо*

обере́жно ADVERB

carefully, gently, gingerly
Вона́ обере́жно спита́ла мене́ про ба́тька. *She gently asked me about my father.*

обі́д NOUN

lunch У ко́трій у вас обі́д? *What time do you have lunch?*
пі́сля обі́ду *in the afternoon*
Мо́же ти при́йдеш пі́сля обі́ду? *Perhaps you'll come in the afternoon?*

	SING.	PL.
NOM.	обі́д	обі́ди
GEN.	обі́ду	обі́дів
DAT.	обі́ду	обі́дам
ACC.	обі́д	обі́ди
INSTR.	обі́дом	обі́дами
PREP.	обі́ді	обі́дах
VOC.	обі́де	обі́ди

обі́дати IMPERFECTIVE VERB

have lunch Я не бу́ду обі́дати сього́дні. У ме́не нема́ ча́су. *I won't have lunch today. I don't have time.* (*perfective verb:* пообі́дати)

PRES.	я обі́даю	ми обі́даємо
	ти обі́даєш	ви обі́даєте
	він обі́дає	вони́ обі́дають
PAST	M. обі́дав	NT. обі́дало
	F. обі́дала	PL. обі́дали

обли́ччя NOUN

face Тобі́ подо́бається її́ обли́ччя? *Do you like her face?*

	SING.	PL.
NOM.	обли́ччя	обли́ччя
GEN.	обли́ччя	обли́ч
DAT.	обли́ччю	обли́ччям
ACC.	обли́ччя	обли́ччя
INSTR.	обли́ччям	обли́ччями
PREP.	обли́ччі	обли́ччях
VOC.	обли́ччя	обли́ччя

обов'язко́во ADVERB

definitely, without fail Ми обов'язко́во при́йдемо до вас ще раз. *We will definitely come over again.*

о́воч NOUN

vegetable Вона́ не лю́бить о́вочі. *She does not like vegetables.*

	SING.	PL.
NOM.	о́воч	о́вочі
GEN.	о́вочу	о́вочів
DAT.	о́вочу	о́вочам
ACC.	о́воч	о́вочі
INSTR.	о́вочем	о́вочами
PREP.	о́вочі	о́вочах
VOC.	о́вочу	о́вочі

Оде́са NOUN

(geography) **Odesa** Оде́сі шістьсо́т ро́ків. *Odesa is six hundred years old.*

	SING.		SING.
NOM.	Оде́са	INSTR.	Оде́сою
GEN.	Оде́си	PREP.	Оде́сі
DAT.	Оде́сі	VOC.	Оде́со
ACC.	Оде́су		

оди́н NUMBER

one Ми відпочива́ємо на мо́рі оди́н раз на рік. *We vacation by the sea once a year.*

одина́дцять NUMBER

eleven Коли́ тобі́ бу́де одина́дцять ро́ків? *When will you be eleven years old?*

о́дяг NOUN, UNCOUNTABLE

clothes Наві́що ви купи́ли

бага́то о́дягу? *What did you buy so many clothes for?*

	SING.		SING.
NOM.	о́дяг	INSTR.	о́дягом
GEN.	о́дягу	PREP.	о́дязі
DAT.	о́дягу	VOC.	о́дягу
ACC.	о́дяг		

о́ко NOUN

eye У не́ї га́рні блаки́тні о́чі. *She has beautiful blue eyes.*

	SING.	PL.
NOM.	о́ко	о́чі
GEN.	о́ка	оче́й
DAT.	о́ку	оча́м
ACC.	о́ко	о́чі
INSTR.	о́ком	очи́ма
PREP.	о́ці	оча́х
VOC.	о́ко	о́чі

окуля́ри NOUN, PLURAL

glasses, eyeglasses

Мені́ подо́баються твої́ нові́ окуля́ри. *I like your new glasses.*

⚠ Окуля́ри is always plural: **одні́ окуля́ри** *a pair of glasses*

	SING.		SING.
NOM.	окуля́ри	INSTR.	окуля́рами
GEN.	окуля́рів	PREP.	окуля́рах
DAT.	окуля́рам	VOC.	окуля́ри
ACC.	окуля́ри		

олі́ве́ць NOUN

pencil Наві́що ти пи́шеш олівце́м? *Why do you write with a pencil?*

	SING.	PL.
NOM.	оліве́ць	олівці́
GEN.	олівця́	олівці́в
DAT.	олівцю́	олівця́м
ACC.	оліве́ць	олівці́
INSTR.	олівце́м	олівця́ми
PREP.	олівці́	олівця́х
VOC.	олівцю́	олівці́

олі́я NOUN

oil Ви готу́єте сала́т без олі́ї? *Are you preparing salad without oil?*

	SING.	PL.
NOM.	олі́я	олі́ї
GEN.	олі́ї	олі́й
DAT.	олі́ї	олі́ям
ACC.	олі́ю	олі́ї
INSTR.	олі́єю	олі́ями
PREP.	олі́ї	олі́ях
VOC.	олі́є	олі́ї

ону́к NOUN

grandson У А́нни Петрі́вни вже є ону́ки? *Does Anna Petrovna already have grandchildren?*

	SING.	PL.
NOM.	ону́к	ону́ки
GEN.	ону́ка	ону́ків
DAT.	ону́ку	ону́кам
ACC.	ону́ка	ону́ків
INSTR.	ону́ком	ону́ками
PREP.	ону́ку	ону́ках
VOC.	ону́че	ону́ки

ону́чка NOUN

granddaughter Ва́ша ону́чка вже хо́дить до шко́ли? *Is your granddaughter already in school?*

	SING.	PL.
NOM.	ону́чка	ону́чки
GEN.	ону́чки	ону́чок
DAT.	ону́чці	ону́чкам
ACC.	ону́чку	ону́чок
INSTR.	ону́чкою	ону́чками
PREP.	ону́чці	ону́чках
VOC.	ону́чко	ону́чки

о́пера NOUN

opera Ви ходи́ли в о́перу в Оде́сі? *Did you go to the opera in Odessa?*

	SING.	PL.
NOM.	о́пера	о́пери
GEN.	о́пери	о́пер
DAT.	о́пері	о́перам
ACC.	о́перу	о́пери

INSTR.	óперою	óперами
PREP.	óпері	óперах
VOC.	óперо	óпери

оповідáння NOUN, NEUTER **story**

Ми прочитáли оповідáння двíчі. *We read the story twice.*

	SING.	PL.
NOM.	оповідáння	оповідáння
GEN.	оповідáння	оповідáнь
DAT.	оповідáнню	оповідáнням
ACC.	оповідáння	оповідáння
INSTR.	оповідáнням	оповідáннями
PREP.	оповідáнні	оповідáннях
VOC.	оповідáння	оповідáння

óсінь NOUN

autumn, fall Ти лю́биш óсінь? *Do you like autumn? (antonym:* веснá)

	SING.	PL.
NOM.	óсінь	óсені
GEN.	óсені	óсеней
DAT.	óсені	óсеням
ACC.	óсінь	óсені
INSTR.	óсінню	óсенями
PREP.	óсені	óсенях
VOC.	óсене	óсені

ось PARTICLE

here..., here is... Ось ваш нови́й буди́нок! *Here is your new home!*

отри́мати PERFECTIVE VERB

receive, get Ви вже отри́мали грóші? *Have you already received the money? (imperfective verb:* отри́мувати)

FUT.	я отри́маю	ми отри́маємо
	ти отри́маєш	ви отри́маєте
	він отри́має	вони́ отри́мають
PAST	M. отри́мав	NT. отри́мало
	F. отри́мала	PL. отри́мали

отри́мувати IMPERFECTIVE VERB

receive, get Я отри́мую листи́ кóжного мíсяця. *I get letters every month. (perfective verb:* отри́мати)

PRES.	я отри́мую
	ми отри́муємо
	ти отри́муєш
	ви отри́муєте
	він отри́мує
	вони́ отри́мують
PAST	M. отри́мував
	F. отри́мувала
	NT. отри́мувало
	PL. отри́мували

Пп *Пп* *Пп*

п'ятдеся́т NUMBER

fifty Ти ма́єш п'ятдеся́т гри́вень? *Do you have fifty hryvnias?*

п'ятна́дцять NUMBER

fifteen Катери́ні вже п'ятна́дцять ро́ків. *Katerina is fifteen years.*

п'я́тниця NOUN

Friday Що ви роби́тимете уве́чері у п'я́тницю? *What are you going to do on Friday night?* **у/в п'я́тницю** *on Friday* **щоп'я́тниці** *on Fridays*

	SING.	PL.
NOM.	п'я́тниця	п'я́тниці
GEN.	п'я́тниці	п'я́тниць
DAT.	п'я́тниці	п'я́тницям
ACC.	п'я́тницю	п'я́тниці
INSTR.	п'я́тницею	п'я́тницями
PREP.	п'я́тниці	п'я́тницях
VOC.	п'я́тнице	п'я́тниці

п'ятсо́т NUMBER

five hundred – Скі́льки ко́штує ця кни́га? – П'ятсо́т гри́вень. *How much is this book? – Five hundred hryvnias.*

п'ять NUMBER

five Я працю́ю п'ять днів на ти́ждень. *I work five days a week.*

пала́ц NOUN

palace Цей відо́мий пала́ц розташо́ваний у Німе́ччині. *This famous palace is located in Germany.*

	SING.	PL.
NOM.	пала́ц	пала́ци
GEN.	пала́цу	пала́ців
DAT.	пала́цу	пала́цам
ACC.	пала́ц	пала́ци
INSTR.	пала́цом	пала́цами
PREP.	пала́ці	пала́цах
VOC.	пала́це	пала́ци

пальто́ NOUN

coat Ось моє́ улю́блене черво́не пальто́. *Here's my favorite red coat.*

	SING.	PL.
NOM.	пальто́	па́льта
GEN.	пальта́	пальт
DAT.	пальту́	па́льтам
ACC.	пальто́	па́льта
INSTR.	пальто́м	па́льтами
PREP.	пальті́	па́льтах
VOC.	пальто́	па́льта

па́м'ятник NOUN

monument У ва́шому мі́сті є па́м'ятники? *Do you have any monuments in your city?*

	SING.	PL.
NOM.	па́м'ятник	па́м'ятники
GEN.	па́м'ятника	па́м'ятників
DAT.	па́м'ятнику	па́м'ятникам
ACC.	па́м'ятник	па́м'ятники
INSTR.	па́м'ятником	па́м'ятниками
PREP.	па́м'ятнику	па́м'ятниках
VOC.	па́м'ятнику	па́м'ятники

пан NOUN

(formal) **Mr. _** Пан Шевче́нко вже у готе́лі? *Is Mr. Shevchenko already at the hotel?* **Пано́ве!** *Ladies and gentlemen!*

⚠ As with all nouns denoting male humans, the plural can refer to mixed groups of men and women.
⚠ The second example above is vocative plural, as a group of people is being addressed directly.

	SING.	PL.
NOM.	пан	пани́
GEN.	па́на	пані́в
DAT.	па́ну	пана́м
ACC.	па́на	пані́в
INSTR.	па́ном	пана́ми
PREP.	па́ну	пана́х
VOC.	па́не	пано́ве

па́ні NOUN, INDECLINABE *(formal)* **Ms. __, Mrs. __, Miss __** Ду́же прие́мно, па́ні Зеле́нська! *Pleased to meet you, Ms. Zelenska!*

парасо́лька NOUN
umbrella Ви взя́ли парасо́льку? *Did you take an umbrella?*

	SING.	PL.
NOM.	парасо́лька	парасо́льки
GEN.	парасо́льки	парасо́льок
DAT.	парасо́льці	парасо́лькам
ACC.	парасо́льку	парасо́льки
INSTR.	парасо́лькою	парасо́льками
PREP.	парасо́льці	парасо́льках
VOC.	парасо́лько	парасо́льки

парк NOUN
park Ми гуля́ли в па́рку. *We went for walk in the park.*

	SING.	PL.
NOM.	парк	па́рки
GEN.	па́рку	па́рків
DAT.	па́рку	па́ркам
ACC.	парк	па́рки
INSTR.	па́рком	па́рками
PREP.	па́рку	па́рках
VOC.	па́рку	па́рки

па́спорт NOUN
passport Ви не ба́чили мій па́спорт? *Have you seen my passport?*

	SING.	PL.
NOM.	па́спорт	па́спорти
GEN.	па́спорта	па́спортів
DAT.	па́спорту	па́спортам
ACC.	па́спорт	па́спорти
INSTR.	па́спортом	па́спортами
PREP.	па́спорті	па́спортах
VOC.	па́спорте	па́спорти

переда́ча NOUN
(TV, etc.) **program, show, broadcast** Яка́ твоя́ улю́блена переда́ча? *What is your favorite (TV) show?*

	SING.	PL.
NOM.	переда́ча	переда́чі
GEN.	переда́чі	переда́ч
DAT.	переда́чі	переда́чам
ACC.	переда́чу	переда́чі
INSTR.	переда́чею	переда́чами
PREP.	переда́чі	переда́чах
VOC.	переда́че	переда́чі

перекладá́ч NOUN
translator, interpreter І́гор працю́є перекладаче́м. *Igor works as a translator.*

	SING.	PL.
NOM.	переклада́ч	перекладачі́
GEN.	перекладача́	перекладачі́в
DAT.	перекладачу́	перекладача́м
ACC.	перекладача́	перекладачі́в
INSTR.	перекладаче́м	перекладача́ми
PREP.	перекладачі́	перекладача́х
VOC.	переклада́чу	перекладачі́

пере́рва NOUN
break, recess, intermission Ми втоми́лися. Нам потрі́бна пере́рва. *We are tired. We need a break.*

	SING.	PL.
NOM.	пере́рва	пере́рви
GEN.	пере́рви	пере́рв
DAT.	пере́рві	пере́рвам
ACC.	пере́рву	пере́рви
INSTR.	пере́рвою	пере́рвами
PREP.	пере́рві	пере́рвах
VOC.	пере́рво	пере́рви

перехі́д NOUN
crosswalk, street crossing Я не зна́ю де перехі́д. *I do not know where the crosswalk is.*

	SING.	PL.
NOM.	перехі́д	перехо́ди
GEN.	перехо́ду	перехо́дів
DAT.	перехо́ду	перехо́дам
ACC.	перехі́д	перехо́ди
INSTR.	перехо́дом	перехо́дами
PREP.	перехо́ді	перехо́дах
VOC.	перехо́де	перехо́ди

пе́рший ADJECTIVE

first Весно́ю я був у Києві впе́рше. *In the spring, I was in Kyiv for the first time.*

M.	пе́рший	NT.	пе́рше
F.	пе́рша	PL.	пе́рші

пи́во NOUN, UNCOUNTABLE

beer Я не п'ю пи́во. *I do not drink beer.*

	SING.		SING.
NOM.	пи́во	INSTR.	пи́вом
GEN.	пи́ва	PREP.	пи́ві
DAT.	пи́ву	VOC.	пи́во
ACC.	пи́во		

писа́ти IMPERFECTIVE VERB

write Що ви пи́шете? *What are you writing?* (*perfective verb:* написа́ти)

PRES.	я пишу́	ми пи́шемо
	ти пи́шеш	ви пи́шете
	він пи́ше	вони́ пи́шуть
PAST	M. писа́в	NT. писа́ло
	F. писа́ла	PL. писа́ли
IMPER.	SG. пиши́	PL. пиші́ть

пита́ння NOUN, NEUTER

question У вас є пита́ння? *Do you have any questions?* (*antonym:* ві́дповідь)

	SING.	PL.
NOM.	пита́ння	пита́ння
GEN.	пита́ння	пита́нь
DAT.	пита́нню	пита́нням
ACC.	пита́ння	пита́ння
INSTR.	пита́нням	пита́ннями
PREP.	пита́нні	пита́ннях
VOC.	пита́ння	пита́ння

пи́ти IMPERFECTIVE VERB

drink Ви п'єте́ вино́? *Do you drink wine?* (*perfective verb:* ви́пити)

PRES.	я п'ю	ми п'ємо́
	ти п'єш	ви п'єте́
	він п'є	вони́ п'ють
PAST	M. пив	NT. пило́
	F. пила́	PL. пили́

піані́но NOUN, INDECLINABE

piano Моя́ сестра́ гра́є на піані́но. *My sister plays the piano.*

⚠ Піані́но is indeclinable. It does not change form for case or number.

Півде́нна Аме́рика NOUN

(geography) **South America** Півде́нна Аме́рика ду́же вели́ка. *South America is very big.*

	SING.
NOM.	Півде́нна Аме́рика
GEN.	Півде́нної Аме́рики
DAT.	Півде́нній Аме́риці
ACC.	Півде́нну Аме́рику
INSTR.	Півде́нною Аме́рикою
PREP.	Півде́нній Аме́риці

Півні́чна Аме́рика NOUN

(geography) **North America** Вам сподо́балась Півні́чна Аме́рика? *Did you like North America?*

	SING.
NOM.	Півні́чна Аме́рика
GEN.	Півні́чної Аме́рики
DAT.	Півні́чній Аме́риці
ACC.	Півні́чну Аме́рику
INSTR.	Півні́чною Аме́рикою
PREP.	Півні́чній Аме́риці

підру́чник NOUN

textbook, manual Скільки вам

потрі́бно підру́чників? *How many textbooks do you need?*

	SING.	PL.
NOM.	підру́чник	підру́чники
GEN.	підру́чника	підру́чників
DAT.	підру́чнику	підру́чникам
ACC.	підру́чник	підру́чники
INSTR.	підру́чником	підру́чниками
PREP.	підру́чнику	підру́чниках
VOC.	підру́чнику	підру́чники

пізно ADVERB

late Вже пізно. Мені тре́ба йти. *It's late. I have to go.* (*antonym:* ра́но)

після PREPOSITION

(+ genitive case) **after** Що ви робитимете після уро́ку? *What will you do after class?*

пі́сня NOUN

song Яка́ га́рна пі́сня! *What a beautiful song!*

	SING.	PL.
NOM.	пі́сня	пісні́
GEN.	пі́сні	пісе́нь
DAT.	пі́сні	пісня́м
ACC.	пі́сню	пісні́
INSTR.	пі́снею	пісня́ми
PREP.	пі́сні	пісня́х
VOC.	пі́сне	пісні́

піти́ PERFECTIVE VERB

(on foot) **go, start to go** Ти хо́чеш піти до магази́ну зі мно́ю? *Do you want to go to the store with me?* (*imperfective verb:* йти)

FUT.	я піду́	ми пі́демо
	ти пі́деш	ви пі́дете
	він пі́де	вони́ пі́дуть
PAST	M. пішо́в	NT. пішло́
	F. пішла́	PL. пішли́

план NOUN

plan Ваш план гото́вий? *Is your plan ready?*

	SING.	PL.
NOM.	план	пла́ни
GEN.	пла́ну	пла́нів
DAT.	пла́ну	пла́нам
ACC.	план	пла́ни
INSTR.	пла́ном	пла́нами
PREP.	пла́ні	пла́нах
VOC.	пла́не	пла́ни

поба́чити PERFECTIVE VERB

see Я хо́чу поба́чити мо́ре. *I want to see the sea.* (*imperfective verb:* ба́чити)

FUT.	я поба́чу	ми поба́чимо
	ти поба́чиш	ви поба́чите
	він поба́чить	вони́ поба́чать
PAST	M. поба́чив	NT. поба́чило
	F. поба́чила	PL. поба́чили

побудува́ти PERFECTIVE VERB

build Коли́ ви побудува́ли буди́нок? *When did you build a house?* (*imperfective verb:* будува́ти)

FUT.	я побуду́ю	ми побуду́ємо
	ти побуду́єш	ви побуду́єте
	він побуду́є	вони́ побуду́ють
PAST	M. побудува́в	NT. побудува́ло
	F. побудува́ла	PL. побудува́ли

по́верх NOUN

floor Ви́бачте, це пе́рший по́верх? *Excuse me, is this the first floor?*

	SING.	PL.
NOM.	по́верх	по́верхи
GEN.	по́верху	по́верхів
DAT.	по́верху	по́верхам
ACC.	по́верх	по́верхи
INSTR.	по́верхом	по́верхами
PREP.	по́версі	по́верхах
VOC.	по́верху	по́верхи

повече́ряти PERFECTIVE VERB

have dinner Дава́йте повече́ряємо о во́сьмій сього́дні. *Let's have dinner at* *eight today.* (*imperfective verb:* вечéряти)

FUT.	повечéряю	повечéряємо
	повечéряєш	повечéряєте
	повечéряє	повечéряють
PAST	M. повечéряв	NT. повечéряло
	F. повечéряла	PL. повечéряли

повúнен ADJECTIVE

(*+ infinitive verb*) **must, have to** Ти повúнен зателефонувáти мáмі, Максúме! *You've got to call mom, Maxim!*

M.	повúнен	NT.	повúнне
F.	повúнна	PL.	повúнні

повíльно ADVERB

slowly Говорíть повíльно, будь лáска. *Speak slowly, please.* (*antonym:* швúдко)

повторúти PERFECTIVE VERB

❶ **repeat** Повторíть, будь лáска. *Please repeat that.*

❷ **review** Ми повторúли грамáтику на урóці. *We reviewed the grammar during the lesson.* (*imperfective verb:* повтóрювати)

FUT.	я повторю́	ми повтóримо
	ти повтóриш	ви повтóрите
	він повтóрить	вонú повтóрять
PAST	M. повторúв	NT. повторúло
	F. повторúла	PL. повторúли
IMPER.	SIG. повторú	PL. повторíть

повтóрювати IMPERFECTIVE VERB

❶ **repeat** Нам трéба повтóрювати кóжне слóво? *Do we need to repeat every word?*

❷ **review** Я завждú повтóрюю тéксти пéред урóком. *I always review the texts before the lesson.* (*perfective verb:* повторúти)

PRES.	повтóрюю	повтóрюємо
	повтóрюєш	повтóрюєте
	повтóрює	повтóрюють
PAST	M. повтóрював	
	F. повтóрювала	
	NT. повтóрювало	
	PL. повтóрювали	

погáний ADJECTIVE

bad Чомý ти кáжеш, що Сергíй погáна людúна? *Why do you say that Sergiy is a bad person?* (*antonym:* дóбрий)

M.	погáний	NT.	погáне
F.	погáна	PL.	погáні

погáно ADVERB

badly, poorly Тáня погáно говóрить китáйською. *Tanya does not speak Chinese very well.* (*antonym:* дóбре)

погóда NOUN

weather Якá погóда сьогóдні? *How's the weather today?*

	SING.		SING.
NOM.	погóда	INSTR.	погóдою
GEN.	погóди	PREP.	погóді
DAT.	погóді	VOC.	погóдо
ACC.	погóду		

подарувáти PERFECTIVE VERB

give (as a gift) Що ти подарýєш чоловíку на день нарóдження? *What are you giving your husband for his birthday?* (*compare:* дáти; *imperfective verb:* дарувáти)

FUT.	я подарýю	ми подарýємо
	ти подарýєш	ви подарýєте
	він подарýє	вонú подарýють
PAST	M. подарувáв	NT. подарувáло
	F. подарувáла	PL. подарувáли

подарýнок NOUN

gift Ви лю́бите дарувáти чи отрúмувати подарýнки? *Do you like to give or receive gifts?*

	SING.	PL.
NOM.	подарýнок	подарýнки
GEN.	подарýнка	подарýнків

DAT.	подару́нку	подару́нкам
ACC.	подару́нок	подару́нки
INSTR.	подару́нком	подару́нками
PREP.	подару́нку	подару́нках
VOC.	подару́нку	подару́нки

подиви́тися PERFECTIVE VERB

❶ **watch** Уве́чері я хо́чу подиви́тись фільм. *In the evening, I want to watch a movie.*
❷ *(+* на *+ accusative case)* **look at** Подиві́ться на фотогра́фію. Що ви ба́чите? *Look at the photo. What do you see?*
(*imperfective verb:* диви́тися)

FUT.	подивлю́ся	поди́вимося
	поди́вишся	поди́витеся
	поди́виться	поди́вляться
PAST	M. подиви́вся	NT. подиви́лося
	F. подиви́лася	PL. подиви́лися
IMPER.	SG. подиви́ся	PL. подиві́ться

подо́батися IMPERFECTIVE VERB

(dative case +) **like** Вам подо́баються ці кві́ти? *Do you like these flowers?* Ти їй подо́баєшся. *She likes you.*
(*perfective verb:* сподо́батися)

⚠ If you want to say *"I like..."*, in Ukrainian, this is literally *"To me pleases..."*. What would be the subject in English is in the dative case in Ukrainian. мені́/тобі́/йому́/їй/нам/вам/їм подо́бається (+ sg. nom. noun) *or* подо́баються (+ pl. nom. noun) *I/you/he/she/ we/you/they like ___*: Йому́ подо́бається ка́ва. *He likes coffee.* Йому́ подо́баються ці карти́ни. *He likes these paintings.*

PRES.	подо́баюся	подо́баємося
	подо́баєшся	подо́баєтеся
	подо́бається	подо́баються
PAST	M. подо́бався	NT. подо́балося
	F. подо́балася	PL. подо́балися

по́друга NOUN

❶ *(female)* **friend** Моя́ по́друга навча́ється в Аме́риці. *My friend is studying in America.*
❷ **girlfriend** Вчо́ра подарува́в кві́ти по́друзі. *I gave my girlfriend flowers yesterday.*
(*synonym:* ді́вчина)

	SING.	PL.
NOM.	по́друга	по́други
GEN.	по́други	по́друг
DAT.	по́друзі	по́другам
ACC.	по́другу	по́друг
INSTR.	по́другою	по́другами
PREP.	по́друзі	по́другах
VOC.	по́друго	по́други

пое́т NOUN

poet Іва́н Франко́ – це відо́мий украї́нський пое́т. *Ivan Franko was a famous Ukrainian poet.*

	SING.	PL.
NOM.	пое́т	пое́ти
GEN.	пое́та	пое́тів
DAT.	пое́ту	пое́там
ACC.	пое́та	пое́тів
INSTR.	пое́том	пое́тами
PREP.	пое́ті	пое́тах
VOC.	пое́те	пое́ти

познайо́митися PERFECTIVE VERB

meet, make the acquaintance of Коли́ ми відпочива́ли на мо́рі, ми познайо́милися із америка́нцями. *When we were vacationing by the sea, we met some Americans.* Дава́йте познайо́мимося. *Let's get to know each other.*
Познайо́мтеся (будь ла́ска)... *I'd like you to meet...*
(*imperfective verb:* знайо́митися)

FUT.	я познайо́млюся
	ми познайо́мимося

	ти познайо́мишся	
	ви познайо́митеся	
	він познайо́миться	
	вони́ познайо́мляться	
PAST	M. познайо́мився	
	F. познайо́милася	
	NT. познайо́милося	
	PL. познайо́милися	

поїхати PERFECTIVE VERB

(by vehicle) **go** Я хо́чу поїхати до Ме́ксики взи́мку. *I want to go to Mexico in the winter.* (*imperfective verb:* ї́хати)

FUT.	я поїду	ми поїдемо
	ти поїдеш	ви поїдете
	він поїде	вони́ поїдуть
PAST	M. поїхав	NT. поїхало
	F. поїхала	PL. поїхали

показа́ти PERFECTIVE VERB

show, display Я пока́жу вам мої́ фотогра́фії. *I'll show you my photos.* (*imperfective verb:* пока́зувати)

FUT.	я покажу́	ми пока́жемо
	ти пока́жеш	ви пока́жете
	він пока́же	вони́ пока́жуть
PAST	M. показа́в	NT. показа́ло
	F. показа́ла	PL. показа́ли

пока́зувати IMPERFECTIVE VERB

show, display Годи́нник пока́зує годи́ну дня. *The clock shows one p.m.* (*perfective verb:* показа́ти)

PRES.	я пока́зую	ми пока́зуємо
	ти пока́зуєш	ви пока́зуєте
	він пока́зує	вони́ пока́зують
PAST	M. пока́зував	NT. пока́зувало
	F. пока́зувала	PL. пока́зували

полікллі́ніка NOUN

doctor's office, clinic За́втра я піду́ до полікллі́ніки. *Tomorrow I will go to the doctor's.*

	SING.	PL.
NOM.	полікллі́ніка	полікллі́ніки
GEN.	полікллі́ніки	полікллі́нік
DAT.	полікллі́ніці	полікллі́нікам
ACC.	полікллі́ніку	полікллі́ніки
INSTR.	полікллі́нікою	полікллі́ніками
PREP.	полікллі́ніці	полікллі́ніках
VOC.	полікллі́ніко	полікллі́ніки

полі́ція NOUN

police Вам потрі́бно зателефонува́ти до полі́ції! *You need to call the police!*

	SING.	PL.
NOM.	полі́ція	полі́ції
GEN.	полі́ції	полі́цій
DAT.	полі́ції	полі́ціям
ACC.	полі́цію	полі́ції
INSTR.	полі́цією	полі́ціями
PREP.	полі́ції	полі́ціях
VOC.	полі́ціє	полі́ції

полови́на NOUN

half Бажа́єш полови́ну я́блука? *Would you like half an apple?*

	SING.	PL.
NOM.	полови́на	полови́ни
GEN.	полови́ни	полови́н
DAT.	полови́ні	полови́нам
ACC.	полови́ну	полови́ни
INSTR.	полови́ною	полови́нами
PREP.	полови́ні	полови́нах
VOC.	полови́но	полови́ни

поме́рти PERFECTIVE VERB

die Її́ ба́тько поме́р ма́йже чоти́ри ро́ки тому́. *Her father died almost four years ago.* (*antonym:* народи́тися; *imperfective verb:* помира́ти)

FUT.	я помру́	ми помремо́
	ти помре́ш	ви помрете́
	він помре́	вони́ помру́ть
PAST	M. поме́р	NT. поме́рло
	F. поме́рла	PL. поме́рли

поми́лка NOUN

error, mistake Ви ба́чите поми́лку у те́ксті? *Do you see a mistake in the text?*

	SING.	PL.
NOM.	поми́лка	помилки́
GEN.	поми́лки	помило́к
DAT.	поми́лці	помилка́м
ACC.	поми́лку	помилки́
INSTR.	поми́лкою	помилка́ми
PREP.	поми́лці	помилка́х
VOC.	поми́лко	помилки́

понеді́лок NOUN

Monday Ми почина́ємо працюва́ти у понеді́лок. *We'll start working on Monday.*
у понеді́лок *on Monday*
щопонеді́лка *on Mondays*

	SING.	PL.
NOM.	понеді́лок	понеді́лки
GEN.	понеді́лка	понеді́лків
DAT.	понеді́лку	понеді́лкам
ACC.	понеді́лок	понеді́лки
INSTR.	понеді́лком	понеді́лками
PREP.	понеді́лку	понеді́лках
VOC.	понеді́лку	понеді́лки

пообі́дати PERFECTIVE VERB

have lunch Я пообі́дав о двана́дцятій і продо́вжив працюва́ти. *I had lunch at twelve and (then) continued working.* (*imperfective verb:* обі́дати)

FUT.	пообі́даю	пообі́даємо
	пообі́даєш	пообі́даєте
	пообі́дає	пообі́дають
PAST	M. пообі́дав	NT. пообі́дало
	F. пообі́дала	PL. пообі́дали

попроси́ти PERFECTIVE VERB

ask (for), request Я попроси́в учи́теля повтори́ти фра́зу. *I asked the teacher to repeat the phrase.* (*imperfective verb:* проси́ти)

FUT.	я попрошу́	ми попро́симо
	ти попро́сиш	ви попро́сите
	він попро́сить	вони́ попро́сять
PAST	M. попроси́в	NT. попроси́ло
	F. попроси́ла	PL. попроси́ли

посні́дати PERFECTIVE VERB

have breakfast Ви вже посні́дали? *Have you already had breakfast?* (*imperfective verb:* сні́дати)

FUT.	я посні́даю	ми посні́даємо
	ти посні́даєш	ви посні́даєте
	він посні́дає	вони́ посні́дають
PAST	M. посні́дав	NT. посні́дало
	F. посні́дала	PL. посні́дали

по́тім ADVERB

then, after that Споча́тку ми ходи́ли на бале́т, по́тім у рестора́н. *First, we went to the ballet and then to a restaurant.*

потрі́бен ADJECTIVE

(dative case +) **necessary, needed** Вам потрі́бен Інтерне́т? *Do you need the Internet?* Нам не потрі́бен нови́й о́дяг. *We do not need new clothes.*

⚠ If you want to say *"I need...",* in Ukrainian, this is literally *"To me necessary...".* The form of потрі́бен agrees with the gender and number of the following noun: Нам потрі́бна пере́рва. *We need a break.* Notice, in the next entry, that it takes another form when preceding a verb.

M.	потрі́бен	NT.	потрі́бне
F.	потрі́бна	PL.	потрі́бні

потрі́бно PREDICATIVE ADJECTIVE

(+ infinitive verb) **necessary, needed** Ви́бачте, мені́

потрі́бно йти. *I'm sorry, I need to go.* (*compare:* тре́ба)

> ⚠ Мені́ потрі́бно is literally *"to me is necessary to..."* but better translates as *"I need to..."*

по́тяг NOUN

train Ви пої́дете до Оде́си по́тягом? *Are you going to go to Odesa by train?*

	SING.	PL.
NOM.	по́тяг	по́тяги
GEN.	по́тягу	по́тягів
DAT.	по́тягу	по́тягам
ACC.	по́тяг	по́тяги
INSTR.	по́тягом	по́тягами
PREP.	по́тягу	по́тягах
VOC.	по́тягу	по́тяги

поча́ти PERFECTIVE VERB

begin, start Коли́ ви почали́ вивча́ти украї́нську мо́ву? *When did you begin learning Ukrainian?* (*antonym:* закі́нчити; *imperfective verb:* почина́ти)

FUT.	я почну́	ми почнемо́
	ти почне́ш	ви почнете́
	він почне́	вони́ почну́ть
PAST	M. поча́в	NT. почало́
	F. почала́	PL. почали́

почина́ти IMPERFECTIVE VERB

(*+ imperfective verb*) **begin, start** Я завжди́ почина́ю працюва́ти ра́но. *I always start work early.* (*perfective verb:* поча́ти)

PRES.	я почина́ю	ми почина́ємо
	ти почина́єш	ви почина́єте
	він почина́є	вони́ почина́ють
PAST	M. почина́в	NT. почина́ло
	F. почина́ла	PL. почина́ли

по́шта NOUN

post office Зазвича́й я хо́джу до по́шти вдень. *I usually go to the post office in the afternoon.*

	SING.		SING.
NOM.	по́шта	INSTR.	по́штою
GEN.	по́шти	PREP.	по́шті
DAT.	по́шті	VOC.	по́што
ACC.	по́шту		

пра́вий ADJECTIVE

❶ **right, correct** Звісно, ти пра́вий. Нам тре́ба зроби́ти так, як ти ка́жеш. *Of course, you are right. We need to do as you say.*

M.	пра́вий	NT.	пра́ве
F.	пра́ва	PL.	пра́ві

❷ **right(-hand)** Його́ пра́ва рука́ лежи́ть на кни́зі. *His right hand is resting on a book.* (*antonym:* лі́вий)

пра́вильно ADVERB, INTERJECTION

❶ ADVERB

correctly Ви все пра́вильно написа́ли. *You have written everything correctly.*

❷ INTERJECTION

that's right – Ми йдемо́ до па́рку? – Пра́вильно! Сього́дні ми йдемо́ гуля́ти до па́рку. *Are we going to the park? – That's right! Today we'll go for a walk in the park.*

право́руч (від) ADVERB, PREPOSITION

on the right, to the right (of) Право́руч від полікліні́ки розташо́вано кафе́. *To the right of the clinic is a café.* (*antonym:* ліво́руч)

працюва́ти IMPERFECTIVE VERB

work Де ви хо́чете працюва́ти пі́сля університе́ту? *Where do you want to work after college?* **працюва́ти** (*+ instrumental* *case) work as* Я працю́ю вчи́телем у шко́лі. *I work as a teacher in a school.*

PRES.	я працю́ю	ми працю́ємо
	ти працю́єш	ви працю́єте
	він працю́є	вони́ працю́ють
PAST	M. працюва́в	NT. працюва́ло
	F. працюва́ла	PL. працюва́ли
IMPER.	SG. працю́й	PL. працю́йте

приві́т INTERJECTION

(informal) **hi, hello** Приві́т! Як ти? *Hi! How are you?* (*compare:* здра́стуйте)

прие́мно ADVERB

nicely, pleasantly Приє́мно познайо́митись, Миха́йле! *Nice to meet you, Mikhailo!* **Ду́же приє́мно!** *Nice to meet you!*

приї́хати PERFECTIVE VERB

(by vehicle) **arrive, come** Ви приї́хали вчо́ра вночі? *Did you arrive last night?* (*imperfective verb:* приїжджа́ти/приїзди́ти)

FUT.	я приї́ду	ми приї́демо
	ти приї́деш	ви приї́дете
	він приї́де	вони́ приї́дуть
PAST	M. приї́хав	NT. приї́хало
	F. приї́хала	PL. приї́хали

прийти́ PERFECTIVE VERB

(on foot) **arrive, come** Же́ню, хто прийшо́в? *Zhenya, who's here?* (*imperfective verb:* прихо́дити)

FUT.	я прийду́	ми при́йдемо
	ти при́йдеш	ви при́йдете
	він при́йде	вони́ при́йдуть
PAST	M. прийшо́в	NT. прийшло́
	F. прийшла́	PL. прийшли́

приро́да NOUN

nature Я ду́маю, що всі лю́ди лю́блять приро́ду. *I think that all people love nature.*

	SING.		SING.
NOM.	приро́да	INSTR.	приро́дою
GEN.	приро́ди	PREP.	приро́ді
DAT.	приро́ді	VOC.	приро́до
ACC.	приро́ду		

прі́звище NOUN

last name, surname
У ме́не італі́йське прі́звище. *I have an Italian surname.* **Моє́ прі́звище __.** *My last name is __.*

	SING.	PL.
NOM.	прі́звище	прі́звища
GEN.	прі́звища	прі́звищ
DAT.	прі́звищу	прі́звищам
ACC.	прі́звище	прі́звища
INSTR.	прі́звищем	прі́звищами
PREP.	прі́звищі	прі́звищах
VOC.	прі́звище	прі́звища

про PREPOSITION

(+ accusative case) **about**
Ми бага́то говори́ли про те́бе з батька́ми. *My parents and I talked about you a lot.* Ми говори́ли про Іта́лію. *We talked about Italy.* Вони́ забу́ли про ме́не. *They forgot about me.*

пробле́ма NOUN

problem, trouble У вас нема́ пробле́м із докуме́нтами? *You don't have any problems with the documents, do you?*

⚠ Learners often have trouble with the genitive plural of feminine nouns. Remember that there is a "zero ending." That is, the final -a drops. – Допоможі́ мені́, будь ла́ска. – Без пробле́м! *Help me, please. – No problem [lit. without problems]!*

	SING.	PL.
NOM.	пробле́ма	пробле́ми
GEN.	пробле́ми	пробле́м
DAT.	пробле́мі	пробле́мам
ACC.	пробле́му	пробле́ми

INSTR.	пробле́мою	пробле́мами
PREP.	пробле́мі	пробле́мах
VOC.	пробле́мо	пробле́ми

програ́ма NOUN

program Моя́ улю́блена програ́ма почина́ється о сьо́мій годи́ні. *My favorite program starts at seven o'clock.*

продо́вжувати IMPERFECTIVE VERB

(+ imperfective verb) **continue** Восени́ я продо́вжуватиму вивча́ти украї́нську мо́ву. *In the fall, I will continue to study Ukrainian.* (*perfective verb:* продо́вжити)

> In the example sentence, we see a future tense conjugation of this verb. The conjugation pattern for imperfective verbs in Ukrainian is quite straightforward. You add the following suffixes to the infinitive:
>
> | | |
> |---|---|
> | я -му | ми -мемо |
> | ти -меш | ви -мете |
> | він -ме | вони́ -муть |
>
> (*see also the note for* бу́ти)

PRES.	продо́вжую	продо́вжуємо
	продо́вжуєш	продо́вжуєте
	продо́вжує	продо́вжують
PAST	M. продо́вжував	
	F. продо́вжувала	
	NT. продо́вжувало	
	PL. продо́вжували	

проси́ти IMPERFECTIVE VERB

ask (for), request Я не хо́чу проси́ти у вас гро́шей, але́ я му́шу. *I do not want to ask you for money, but I have to.* (*perfective verb:* попроси́ти)

PRES.	я прошу́	ми про́симо
	ти про́сиш	ви про́сите
	він про́сить	вони́ про́сять
PAST	M. проси́в	NT. проси́ло
	F. проси́ла	PL. проси́ли

проспе́кт NOUN

avenue Цей магази́н розташо́ваний на проспе́кті неподалі́к мо́го до́му. *This shop is located on the avenue close to my home.*

	SING.	PL.
NOM.	проспе́кт	проспе́кти
GEN.	проспе́кту	проспе́ктів
DAT.	проспе́кту	проспе́ктам
ACC.	проспе́кт	проспе́кти
INSTR.	проспе́ктом	проспе́ктами
PREP.	проспе́кті	проспе́ктах
VOC.	проспе́кте́	проспе́кти

профе́сія NOUN

profession, occupation Вамподо́бається ва́ша профе́сія? *Do you like your profession?*

	SING.	PL.
NOM.	профе́сія	профе́сії
GEN.	профе́сії	профе́сій
DAT.	профе́сії	профе́сіям
ACC.	профе́сію	профе́сії
INSTR.	профе́сією	профе́сіями
PREP.	профе́сії	профе́сіях
VOC.	профе́сіє	профе́сії

прочита́ти PERFECTIVE VERB

read Мені́ тре́ба прочита́ти кни́гу сього́дні. *I need to read the book today.* (*imperfective verb:* чита́ти)

FUT.	прочита́ю	прочита́ємо
	прочита́єш	прочита́єте
	прочита́є	прочита́ють
PAST	M. прочита́в	NT. прочита́ло
	F. прочита́ла	PL. прочита́ли

пряму́вати IMPERFECTIVE VERB

(vehicle as subject) **go** Куди́ пряму́є цей авто́бус? *Where is this bus going?*

PRES.	я пряму́ю	ми пряму́ємо
	ти пряму́єш	ви пряму́єте
	він пряму́є	вони́ пряму́ють
PAST	M. прямува́в	NT. прямува́ло
	F. прямува́ла	PL. прямува́ли

Рр *Рр* *Рр*

рáдий ADJECTIVE
glad, pleased Рáдий бáчити вас, Áнно! *Good to see you, Anna!*

M.	рáдий	NT.	рáде
F.	рáда	PL.	рáді

рáдіо NOUN, INDECLINABE **radio** Ви чáсто слýхаєте рáдіо? *Do you often listen to the radio?*
⚠ Рáдио is indeclinable. It does not change form for case or number.

радіопередáча NOUN
radio broadcast Якá вáша улю́блена радіопередáча? *What's your favorite radio program?*

	SING.	PL.
NOM.	...передáча	...передáчі
GEN.	...передáчі	...передáч
DAT.	...передáчі	...передáчам
ACC.	...передáчу	...передáчі
INSTR.	...передáчею	...передáчами
PREP.	...передáчі	...передáчах
VOC.	...передáче	...передáчі

раз NOUN
time Скíльки разíв ти булá в Амéриці? *How many times have you been to America?* **оди́н раз** *once* **чоти́ри рази́** *four times* **пять разíв** *five times*
⚠ Ukrainian has special words for *two times (twice)* and *three times (thrice)*. (*see:* двíчі, трíчі)

	SING.	PL.
NOM.	раз	рази́
GEN.	рáзу	разíв
DAT.	рáзу	разáм
ACC.	раз	рази́
INSTR.	рáзом	разáми
PREP.	рáзі	разáх
VOC.	рáзе	рази́

рáзом ADVERB
together Ми прочитáємо текст рáзом. *We will read the text together.*

райóн NOUN
region, area, district Вам подóбається наш райóн? *Do you like our region?*

	SING.	PL.
NOM.	райóн	райóни
GEN.	райóну	райóнів
DAT.	райóну	райóнам
ACC.	райóн	райóни
INSTR.	райóном	райóнами
PREP.	райóні	райóнах
VOC.	райóне	райóни

ранíше ADVERB
before, earlier, in the past Ранíше я ї́ла багáто шоколáду. *I used to eat a lot of chocolate.* (*antonym:* тепéр)

рáнку ADVERB
a.m., in the morning Я ходжý на робóту о вóсьмій годи́ні рáнку. *I go to work at eight in the morning.*
⚠ Рáнку is used for 5 a.m. - 11 a.m. (*compare:* дня, вéчора, нóчи)

рáно ADVERB
early Сьогóдні я їв дýже рáно. *Today I ate very early.* (*antonym:* пíзно)

рáнок NOUN
morning Яки́й холóдний рáнок! *What a cold morning!* **Дóбрий рáнок!** *Good morning!* (*antonym:* вéчір)

	SING.	PL.
NOM.	ра́нок	ра́нки
GEN.	ра́нку	ра́нків
DAT.	ра́нку	ра́нкам
ACC.	ра́нок	ра́нки
INSTR.	ра́нком	ра́нками
PREP.	ра́нку	ра́нках
VOC.	ра́нку	ра́нки

ра́птом ADVERB

all of a sudden, suddenly Ра́птом пішо́в дощ. *It suddenly started to rain.*

результа́т NOUN

result Ви вивча́єте украї́нську мо́ву рік, і у вас вже ду́же до́брий результа́т! *You've been studying Ukrainian for a year, and you already have very good results.*

	SING.	PL.
NOM.	результа́т	результа́ти
GEN.	результа́ту	результа́тів
DAT.	результа́ту	результа́там
ACC.	результа́т	результа́ти
INSTR.	результа́том	результа́тами
PREP.	результа́ті	результа́тах
VOC.	результа́те	результа́ти

рестора́н NOUN

restaurant Це мій улю́блений рестора́н. *This is my favorite restaurant.*

	SING.	PL.
NOM.	рестора́н	рестора́ни
GEN.	рестора́ну	рестора́нів
DAT.	рестора́ну	рестора́нам
ACC.	рестора́н	рестора́ни
INSTR.	рестора́ном	рестора́нами
PREP.	рестора́ні	рестора́нах
VOC.	рестора́не	рестора́ни

ри́ба NOUN

fish Ви їсте́ ри́бу? *Do you eat fish?*

	SING.	PL.
NOM.	ри́ба	ри́би
GEN.	ри́би	риб
DAT.	ри́бі	ри́бам
ACC.	ри́бу	ри́би
INSTR.	ри́бою	ри́бами
PREP.	ри́бі	ри́бах
VOC.	ри́бо	ри́би

рис NOUN, UNCOUNTABLE

rice Ви їсте́ бага́то ри́су? *Do you eat a lot of rice?*

	SING.		SING.
NOM.	рис	INSTR.	ри́сом
GEN.	ри́су	PREP.	ри́сі
DAT.	ри́су	VOC.	ри́се
ACC.	рис		

рі́дко ADVERB

rarely, seldom, not often Ми ду́же рі́дко хо́димо до теа́тру. *We very rarely go to the theater.* (*antonym:* ча́сто)

рі́дний ADJECTIVE

native, home- Де розташо́ване ва́ше рі́дне мі́сто? *Where is your hometown?*

M.	рі́дний	NT.	рі́дне
F.	рі́дна	PL.	рі́дні

рі́зний ADJECTIVE

different, various Всі лю́ди рі́зні. *Everyone is different.* (*compare:* і́нший)

M.	рі́зний	NT.	рі́зне
F.	рі́зна	PL.	рі́зні

рік NOUN

year Я вивча́ю украї́нську мо́ву рік. *I've been studying Ukranian for a year.*

	SING.	PL.
NOM.	рік	ро́ки
GEN.	ро́ку	ро́ків
DAT.	ро́ку	ро́кам
ACC.	рік	ро́ки
INSTR.	ро́ком	ро́ками
PREP.	ро́ці	ро́ках
VOC.	ро́ку	ро́ки

рі́чка NOUN

river Вони́ живу́ть неподалі́к рі́чки. *They live near the river.*

	SING.	PL.
NOM.	рі́чка	річки́
GEN.	рі́чки	річо́к
DAT.	рі́чці	річка́м
ACC.	рі́чку	річки́
INSTR.	рі́чкою	річка́ми
PREP.	рі́чці	річка́х
VOC.	рі́чко	річки́

роби́ти IMPERFECTIVE VERB

❶ **do** Я не зна́ю, що роби́ти. *I do not know what to do.*

❷ **make** Він завжди́ ро́бить помилки́. *He always makes mistakes.* (*perfective verb:* зроби́ти)

PRES.	я роблю́	ми ро́бимо
	ти ро́биш	ви ро́бите
	він ро́бить	вони́ ро́блять
PAST	M. роби́в	NT. роби́ло
	F. роби́ла	PL. роби́ли
IMPER.	SG. роби́	PL. робі́ть

робо́та NOUN

job Вам потрі́бна робо́та? *Do you need a job?*

	SING.	PL.
NOM.	робо́та	робо́ти
GEN.	робо́ти	робі́т
DAT.	робо́ті	робо́там
ACC.	робо́ту	робо́ти
INSTR.	робо́тою	робо́тами
PREP.	робо́ті	робо́тах
VOC.	робо́то	робо́ти

роди́на NOUN

family Де ме́шкає ва́ша роди́на? *Where does your family live?*

	SING.	PL.
NOM.	роди́на	роди́ни
GEN.	роди́ни	роди́н
DAT.	роди́ні	роди́нам
ACC.	роди́ну	роди́ни
INSTR.	роди́ною	роди́нами
PREP.	роди́ні	роди́нах
VOC.	роди́но	роди́ни

розмовля́ти IMPERFECTIVE VERB

❶ **speak** (a language) Я розмовляю украї́нською. *I speak Ukranian.*

❷ **speak, talk** Я не хо́чу з тобо́ю розмовля́ти. *I do not want to talk to you.* (*synonym:* говори́ти; *perfective verb:* порозмовля́ти)

PRES.	я розмовля́ю
	ми розмовля́ємо
	ти розмовля́єш
	ви розмовля́єте
	він розмовля́є
	вони́ розмовля́ють
PAST	M. розмовля́в
	F. розмовля́ла
	NT. розмовля́ло
	PL. розмовля́ли

розповіда́ти IMPERFECTIVE VERB

tell Я не люблю́ розповіда́ти про се́бе. *I do not like to talk about myself.* (*perfective verb:* розповісти́)

PRES.	я розповіда́ю
	ми розповіда́ємо
	ти розповіда́єш
	ви розповіда́єте
	він розповіда́є
	вони́ розповіда́ють
PAST	M. розповіда́в
	F. розповіда́ла
	NT. розповіда́ло
	PL. розповіда́ли

розповісти́ PERFECTIVE VERB

tell Я розповів дру́зям. *I told my friends everything.* (*imperfective verb:* розповіда́ти)

FUT.	розпові́м	розповімо́
	розповіси́	розповісте́
	розпові́сть	розповідя́ть

PAST	M. розповів	NT. розповіло́
	F. розповіла́	PL. розповіли́

розташо́ваний ADJECTIVE

located, situated, found Де розташо́ваний ваш університе́т? *Where is your university?*

M. розташо́ваний	NT. розташо́ване
F. розташо́вана	PL. розташо́вані

розумі́ти IMPERFECTIVE VERB

understand Ви́бачте, я не розумі́ю вас. *Sorry, I do not understand you. (perfective verb:* зрозумі́ти)

PRES.	я розумі́ю	ми розумі́ємо
	ти розумі́єш	ви розумі́єте
	він розумі́є	вони́ розумі́ють
PAST	M. розумі́в	NT. розумі́ло
	F. розумі́ла	PL. розумі́ли

розу́мний ADJECTIVE

clever, smart Усі мої́ студе́нти ду́же розу́мні! *All of my students are very smart!*

M. розу́мний	NT. розу́мне
F. розу́мна	PL. розу́мні

росі́йський ADJECTIVE

Russian У ньо́го є росі́йський па́спорт. *He has a Russian passport.*

M. росі́йський	NT. росі́йське
F. росі́йська	PL. росі́йські

Росі́я NOUN

(geography) **Russia** Скі́льки ро́ків ви ме́шкаєте у Росі́ї? *How many years have you lived in Russia?*

	SING.		SING.
NOM.	Росі́я	INSTR.	Росі́єю
GEN.	Росі́ї	PREP.	Росі́ї
DAT.	Росі́ї	VOC.	Росі́є
ACC.	Росі́ю		

рука́ NOUN

❶ **arm** Олекса́ндр ма́є си́льні ру́ки. *Oleksandr has strong arms.*

❷ **hand** У те́бе га́рні ру́ки. *You have beautiful hands.*

	SING.	PL.
NOM.	рука́	ру́ки
GEN.	руки́	рук
DAT.	руці́	рука́м
ACC.	ру́ку	ру́ки
INSTR.	руко́ю	рука́ми
PREP.	руці́	рука́х
VOC.	ру́ко	ру́ки

ру́чка NOUN

pen Да́йте ру́чку, будь ла́ска. *Give me a pen, please.*

	SING.	PL.
NOM.	ру́чка	ру́чки
GEN.	ру́чки	ру́чок
DAT.	ру́чці	ру́чкам
ACC.	ру́чку	ру́чки
INSTR.	ру́чкою	ру́чками
PREP.	ру́чці	ру́чках
VOC.	ру́чко	ру́чки

Cc *Cc* *Cc*

сад NOUN

garden Мої́ батькй ду́же лю́блять свій вели́кий сад. *My parents really like their large garden.*

	SING.	PL.
NOM.	сад	сади́
GEN.	са́ду	садів
DAT.	са́ду	сада́м
ACC.	сад	сади́
INSTR.	са́дом	сада́ми
PREP.	саду́	сада́х
VOC.	са́де	сади́

сала́т NOUN

salad Ви бу́дете ї́сти сала́т? *Will you have a salad?*

	SING.	PL.
NOM.	сала́т	сала́ти
GEN.	сала́ту	сала́тів
DAT.	сала́ту	сала́там
ACC.	сала́т	сала́ти
INSTR.	сала́том	сала́тами
PREP.	сала́ті	сала́тах
VOC.	сала́те	сала́ти

сам PRONOUN

(by) oneself, on one's own – Вам допомогти́? – Ні дя́кую. Я мо́жу це зроби́ти сам. *Can I help you? – No thanks. I can do it myself.* Я сама́ ви́рішила завда́ння. Ніхто́ мені́ не допомага́в. *I solved the problem myself. No one helped me.*

M.	сам	NT.	само́
F.	сама́	PL.	самі́

свій PRONOUN, POSSESSIVE

one's own Ви отри́мали свої́ докуме́нти? *Have you received your documents?*

⚠ Свій is used instead of other possessive pronouns when referring to the same person as the preceding subject.

M.	свій	NT.	своє́
F.	своя́	PL.	свої́

світ NOUN, UNCOUNTABLE

world У сві́ті бага́то мов. *There are so many languages in the world.*

	SING.	PL.
NOM.	світ	світи́
GEN.	сві́ту	світі́в
DAT.	сві́ту	світа́м
ACC.	світ	світи́
INSTR.	сві́том	світа́ми
PREP.	сві́ті	світа́х
VOC.	сві́те	світи́

свя́то NOUN

holiday Яке́ сього́дні свя́то в Украї́ні? *What holiday is it today in Ukraine?* **Зі свя́том!** *(greeting used on any holiday) Happy holiday!*

	SING.	PL.
NOM.	свя́то	свята́
GEN.	свя́та	свят
DAT.	свя́ту	свята́м
ACC.	свя́то	свята́
INSTR.	свя́том	свята́ми
PREP.	свя́ті	свята́х
VOC.	свя́то	свята́

себе́ PRONOUN

oneself Ви пови́нні люби́ти себе́. *You have to love yourself.*

	SING.		SING.
NOM.	-	INSTR.	собо́ю
GEN.	себе́*	PREP.	собі́
DAT.	собі́	VOC.	-
ACC.	себе́*		

⚠ * After a preposition, the stress shifts to the first syllable: се́бе.

середа́ NOUN

Wednesday у се́реду *on Wednesday* Що ви ро́бите у се́реду? *What are you doing on Wednesday?* **щосереди́** *on Wednesdays*

	SING.	PL.
NOM.	середа́	се́реди
GEN.	середи́	се́ред
DAT.	середі́	се́редам
ACC.	се́реду	се́реди
INSTR.	середо́ю	се́редами
PREP.	середі́	се́редах
VOC.	се́редо	се́реди

серйо́зний ADJECTIVE

serious Сергі́й ду́же серйо́зна люди́на. *Sergiy is a very serious person.*

M.	серйо́зний	NT.	серйо́зне
F.	серйо́зна	PL.	серйо́зні

се́рпень NOUN

August У ме́не день наро́дження у се́рпні. *It's my birthday in August.*

	SING.	PL.
NOM.	се́рпень	се́рпени
GEN.	се́рпня	се́рпнів
DAT.	се́рпню	се́рпням
ACC.	се́рпень	се́рпні
INSTR.	се́рпнем	се́рпнями
PREP.	се́рпне	се́рпнях
VOC.	се́рпню	се́рпні

сестра́ NOUN

sister На́ша сестра́ живе́ не в Украї́ні, а у Фра́нції. *Our sister lives not in Ukraine but in France.* (*antonym:* брат)

	SING.	PL.
NOM.	сестра́	се́стри*
GEN.	сестри́	сесте́р
DAT.	сестрі́	се́страм
ACC.	сестру́	сесте́р
INSTR.	сестро́ю	се́страми
PREP.	сестрі́	се́страх
VOC.	се́стро	се́стри

⚠ * but дві/три/чоти́ри сестри́

сиді́ти IMPERFECTIVE VERB

sit Скі́льки ми пови́нні тут сиді́ти? *How long will we have to sit here?* (*perfective verb:* поси́діти)

PRES.	я сиджу́	ми сидимо́
	ти сиди́ш	ви сидите́
	він сиди́ть	вони́ сидя́ть
PAST	M. сиді́в	NT. сиді́ло
	F. сиді́ла	PL. сиді́ли

си́льний ADJECTIVE

strong Усі́ зна́ють, що Богда́н ду́же си́льний. *Everyone knows that Bogdan is very strong.*

M.	си́льний	NT.	си́льне
F.	си́льна	PL.	си́льні

син NOUN

son Як звуть си́на Ка́ті? *What is Katya's son's name?* (*antonym:* до́нька)

	SING.	PL.
NOM.	син	сини́
GEN.	си́на	сині́в
DAT.	си́ну	сина́м
ACC.	си́на	сині́в
INSTR.	си́ном	сина́ми
PREP.	си́ні	сина́х
VOC.	си́ну	сини́

сир NOUN

cheese Я люблю́ ї́сти сир з ка́вою. *I love to eat cheese with coffee.*

	SING.	PL.
NOM.	сир	сири́
GEN.	си́ру	сирі́в
DAT.	си́ру	сира́м
ACC.	сир	сири́
INSTR.	си́ром	сира́ми
PREP.	си́рі	сира́х

VOC.	си́ре	сири́

Си́рія NOUN

(geography) **Syria**
Де розташо́вується Си́рія?
Where is Syria located?

	SING.		SING.
NOM.	Си́рія	INSTR.	Си́рією
GEN.	Си́рії	PREP.	Си́рії
DAT.	Си́рії	VOC.	Си́ріє
ACC.	Си́рію		

сік NOUN

juice Яки́й сік ти лю́биш?
What juice do you like?

	SING.	PL.
NOM.	сік	соки́
GEN.	со́ку	сокі́в
DAT.	со́ку	сока́м
ACC.	сік	соки́
INSTR.	со́ком	сока́ми
PREP.	соку́	сока́х
VOC.	со́ку	соки́

сіль NOUN

salt Да́йте мені́ сіль, будь ла́ска. *Give me the salt, please.*

	SING.	PL.
NOM.	сіль	со́лі
GEN.	со́лі	соле́й
DAT.	со́лі	со́лям
ACC.	сіль	со́лі
INSTR.	сі́ллю	со́лями
PREP.	со́лі	со́лях
VOC.	со́ле	со́лі

сім NUMBER

seven Сім – це щасли́ве число́.
Seven is a lucky number.

сімдеся́т NUMBER

seventy Бабу́сі сімдеся́т ро́ків.
My grandmother is seventy years old.

сімна́дцять NUMBER

seventeen Я почáла навча́тися в університе́ті у сімна́дцять ро́ків. *I started to study at university at the age of seventeen.*

сімсо́т NUMBER

seven hundred Квито́к на по́тяг ко́штує сімсо́т гри́вень.
A train ticket costs seven hundred hryvnias.

сі́рий ADJECTIVE

gray У О́льги сі́рі о́чі. *Olga has gray eyes.*

M.	сі́рий	NT.	сі́ре
F.	сі́ра	PL.	сі́рі

сі́чень NOUN

January У вас є і́спити в сі́чні?
Do you have exams in January?

	SING.	PL.
NOM.	сі́чень	сі́чні
GEN.	сі́чня	сі́чнів
DAT.	сі́чню	сі́чням
ACC.	сі́чень	сі́чні
INSTR.	сі́чнем	сі́чнями
PREP.	сі́чню	сі́чнях
VOC.	сі́чню	сі́чні

сказа́ти PERFECTIVE VERB

❶ **say** Що ти сказа́в? Повтори́, будь ла́ска. *What did you say? Please repeat.*
❷ **tell** Ти ма́єш сказа́ти їй, що коха́єш її. *You have to tell her that you love her.* (*imperfective verb:* каза́ти)

FUT.	я скажу́	ми ска́жемо
	ти ска́жеш	ви ска́жете
	він ска́же	вони́ ска́жуть
PAST	M. сказа́в	NT. сказа́ло
	F. сказа́ла	PL. сказа́ли
IMPER.	SG. скажи́	PL. скажі́ть

скі́льки ADVERB

how many Скі́льки люде́й у ва́шій гру́пі? *How many people are there in your group?*

скла́дний ADJECTIVE

difficult Це складе́ пита́ння для вас? *Is it a difficult question for you?* (*antonym:* легки́й)

M.	складни́й	NT.	складне́
F.	складна́	PL.	складні́

ско́ро ADVERB

soon Ско́ро ми бу́демо вдо́ма. *Soon we'll be home.*

словни́к NOUN

dictionary Ви взя́ли словни́к на уро́к? *Did you take a dictionary to the lesson?*

	SING.	PL.
NOM.	словни́к	словники́
GEN.	словника́	словникі́в
DAT.	словнику́	словника́м
ACC.	словни́к	словники́
INSTR.	словнико́м	словника́ми
PREP.	словнику́	словника́х
VOC.	словнику́	словники́

сло́во NOUN

word Ви пови́нні запам'ята́ти це сло́во. *You must memorize this word.*

	SING.	PL.
NOM.	сло́во	слова́
GEN.	сло́ва	слів
DAT.	сло́ву	слова́м
ACC.	сло́во	слова́
INSTR.	сло́вом	слова́ми
PREP.	сло́ві	слова́х
VOC.	сло́во	слова́

слу́хати IMPERFECTIVE VERB

listen (to) Ви ча́сто слу́хаєте му́зику? *Do you often listen to music?*

PRES.	я слу́хаю	ми слу́хаємо
	ти слу́хаєш	ви слу́хаєте
	він слу́хає	вони́ слу́хають
PAST	M. слу́хав	NT. слу́хало
	F. слу́хала	PL. слу́хали
IMPER.	SG. слу́хай	PL. слу́хайте

сма́чно ADVERB

deliciously Гали́на ду́же сма́чно готу́є! *Galina cooks really delicious food!*

смілúвий ADJECTIVE

bold, brave Брат Оле́ни ду́же смілúвий. *Olena's brother is very brave.*

M.	смілúвий	NT.	смілúве
F.	смілúва	PL.	смілúві

сніг NOUN

snow У вас бага́то сні́гу взи́мку? *Do you have a lot of snow in the winter?*

	SING.	PL.
NOM.	сніг	сніги́
GEN.	сні́гу	сніѓів
DAT.	сні́гу	сніга́м
ACC.	сніг	сніги́
INSTR.	сні́гом	сніга́ми
PREP.	сніѓу	сніга́х
VOC.	сні́гу	сніги́

сніда́нок NOUN

breakfast Ма́ма завжди́ готу́є смачні́ сніда́нки. *Mom always prepares delicious breakfasts.*

	SING.	PL.
NOM.	сніда́нок	сніда́нки
GEN.	сніда́нку	сніда́нків
DAT.	сніда́нку	сніда́нкам
ACC.	сніда́нок	сніда́нки
INSTR.	сніда́нком	сніда́нками
PREP.	сніда́нку	сніда́нках
VOC.	сніда́нку	сніда́нки

сні́дати IMPERFECTIVE VERB

have breakfast Зазвича́й я не сні́даю. *I do not usually eat breakfast.* (*perfective verb:* посні́дати)

PRES.	я сні́даю	ми сні́даємо
	ти сні́даєш	ви сні́даєте
	він сні́дає	вони́ сні́дають

PAST	M. снідав	NT. снідало
	F. снідала	PL. снідали

соба́ка NOUN, MASCULINE

dog Мені тре́ба гуля́ти із соба́кою двічі на день. *I need to walk the dog twice a day.*

⚠ Depsite its -a ending, this word is masculine unless specifically referring to a female dog: до́брий* соба́ка *a good dog.* (* masculine adjective)

	SING.	PL.
NOM.	соба́ка	соба́ки
GEN.	соба́ки	соба́к
DAT.	соба́ці	соба́кам
ACC.	соба́ку	соба́к
INSTR.	соба́кою	соба́ками
PREP.	соба́ці	соба́ках
VOC.	соба́ко	соба́ки

собі PRONOUN, DATIVE

to/for oneself Я візьму цю кни́гу собі. *I'll take this book with me.* (*see also:* себе́)

со́нце NOUN

sun Не мо́жна до́вго перебува́ти на со́нці. *You must not stay in the sun long.*

	SING.	PL.
NOM.	со́нце	со́нця
GEN.	со́нця	сонць
DAT.	со́нцю	со́нцям
ACC.	со́нце	со́нця
INSTR.	со́нцем	со́нцями
PREP.	со́нці	со́нцях
VOC.	со́нче	со́нця

со́рок NUMBER

forty Вам со́рок ро́ків? *Are you forty years old?*

соро́чка NOUN

shirt Га́рна соро́чка! Де ти ї́ї купи́ла? *Nice shirt! Where did you buy it?*

	SING.	PL.
NOM.	соро́чка	сорочки́
GEN.	соро́чки	сорочо́к
DAT.	соро́чці	сорочка́м
ACC.	соро́чку	сорочки́
INSTR.	соро́чкою	сорочка́ми
PREP.	соро́чці	сорочка́х
VOC.	соро́чко	сорочки́

спа́ти IMPERFECTIVE VERB

sleep Я ду́же хо́чу спа́ти. *I really want to sleep.*

PRES.	я сплю	ми спимо́
	ти спиш	ви спите́
	він спить	вони́ сплять
PAST	M. спав	NT. спа́ло
	F. спа́ла	PL. спа́ли

спеко́тно PREDICATIVE ADJECTIVE

hot У ли́пні тут ду́же спеко́тно. *In July, it is very hot here.*

співа́ти IMPERFECTIVE VERB

sing Ви ча́сто співа́єте? *Do you often sing?* (*perfective verb:* поспіва́ти)

PRES.	я співа́ю	ми співа́ємо
	ти співа́єш	ви співа́єте
	він співа́є	вони́ співа́ють
PAST	M. співа́в	NT. співа́ло
	F. співа́ла	PL. співа́ли

сподо́батися PERFECTIVE VERB

(dative case +) **like** Мені сподо́бався фільм, а тобі? *I liked the movie. Did you?* (*imperfective verb:* подо́батися)

⚠ If you want to say *"I liked...",* this is literally *"To me pleased...".* What would be the subject in English is in the dative case in Ukrainian. мені/тобі/ йому́/ їй/нам/вам/їм сподо́бався (+ m. sg. nom. noun) or сподо́балося (+ nt. sg. nom. noun) or сподо́балася (+ f. sg. nom. noun) or сподо́балися (+ pl. nom. noun) *I/you/he/she/we/ you/they liked ___*: Йому́ сподо́бався фільм. *He liked the movie.* Йому́ сподо́балась ця книга. *He liked this book.* Йому́ сподо́бались ці кни́ги. *He liked these books.*

FUT.	сподо́баюся	сподо́баємося
	сподо́баєшся	сподо́баєтеся
	сподо́бається	сподо́баються
PAST	M. сподо́бався	NT. сподо́балося
	F. сподо́балася	PL. сподо́балися

спокі́йний ADJECTIVE

quiet, calm Мені́ подо́бається спокі́йна му́зика. *I like quiet music.*

M.	спокі́йний	NT.	спокі́йне
F.	спокі́йна	PL.	спокі́йні

спокі́йно ADVERB

quietly, calmly Бори́с спокі́йно сказа́в мені́, що я зроби́ла поми́лку. *Boris calmly told me that I made a mistake.*

спорт NOUN, UNCOUNTABLE

sport Ви займа́єтеся спо́ртом? *Do you exercise?*

	SING.	PL.
NOM.	спорт	спо́рти
GEN.	спо́рту	спо́ртів
DAT.	спо́рту	спо́ртам
ACC.	спорт	спо́рти
INSTR.	спо́ртом	спо́ртами
PREP.	спо́рті	спо́ртах
VOC.	спо́рте	спо́рти

спортсме́н NOUN

(male) **athlete** Ва́ші дру́зі – спортсме́ни? *Are your friends athletes?*

	SING.	PL.
NOM.	спортсме́н	спортсме́ни
GEN.	спортсме́на	спортсме́нів
DAT.	спортсме́ну	спортсме́нам
ACC.	спортсме́на	спортсме́нів
INSTR.	спортсме́ном	спортсме́нами
PREP.	спортсме́ні	спортсме́нах
VOC.	спортсме́не	спортсме́ни

спортсме́нка NOUN

(female) **athlete** Вона́ – відо́ма спортсме́нка. *She's a famous athlete.*

	SING.	PL.
NOM.	спортсме́нка	спортсме́нки
GEN.	спортсме́нки	спортсме́нок
DAT.	спортсме́нці	спортсме́нкам
ACC.	спортсме́нку	спортсме́нок
INSTR.	спортсме́нкою	спортсме́нками
PREP.	спортсме́нці	спортсме́нках
VOC.	спортсме́нко	спортсме́нки

споча́тку ADVERB

at first, in the beginning Споча́тку мені́ не сподо́бався її́ брат. *At first, I did not like her brother.*

стадіо́н NOUN

stadium Я чека́тиму тебе́ на стадіо́ні. *I'll wait for you at the stadium.*

	SING.	PL.
NOM.	стадіо́н	стадіо́ни
GEN.	стадіо́ну	стадіо́нів
DAT.	стадіо́ну	стадіо́нам
ACC.	стадіо́н	стадіо́ни
INSTR.	стадіо́ном	стадіо́нами
PREP.	стадіо́ні	стадіо́нах
VOC.	стадіо́не	стадіо́ни

ста́нція NOUN

station Як назива́ється ця ста́нція метро́? *What is this subway station called?*

	SING.	PL.
NOM.	ста́нція	ста́нції
GEN.	ста́нції	ста́нцій
DAT.	ста́нції	ста́нціям
ACC.	ста́нцію	ста́нції
INSTR.	ста́нцією	ста́нціями
PREP.	ста́нції	ста́нціях
VOC.	ста́нціє	ста́нції

стари́й ADJECTIVE

❶ *(not new)* **old** У ме́не ду́же стари́й телефо́н. *I have a very old phone.* (*antonym:* нови́й)

❷ *(not young)* **old** Його́ ба́тько стара́ люди́на, і він ча́сто забува́є імена́ ону́ків. *His grandfather is an old man, and he often forgets his grandchildren's names.* (*antonym:* молоди́й)

M.	стари́й	NT.	старе́
F.	стара́	PL.	старі́

ста́рший ADJECTIVE

eldest, oldest Мій ста́рший син навча́ється у шко́лі. *My eldest son is studying in school.* (*antonym:* моло́дший)

M.	ста́рший	NT.	ста́рше
F.	ста́рша	PL.	ста́рші

ста́ти PERFECTIVE VERB

become Він хо́че ста́ти лі́карем. *He wants to become a doctor.* (*imperfective verb:* ستава́ти)

FUT.	я ста́ну	ми ста́немо
	ти ста́неш	ви ста́нете
	він ста́не	вони́ ста́нуть
PAST	M. став	NT. ста́ло
	F. ста́ла	PL. ста́ли

статтяя́ NOUN, FEMININE

article Ви прочита́ли цю статтю́? *Have you read the article?*

	SING.	PL.
NOM.	статтяя́	статті́
GEN.	статті́	стате́й
DAT.	статті́	статтяя́м
ACC.	статтю́	статті́
INSTR.	статте́ю	статтяя́ми
PREP.	статті́	статтяя́х
VOC.	статте́	статті́

стіл NOUN

table Твої́ ключі́ на столі́. *Your keys are on the table.*

	SING.	PL.
NOM.	стіл	столи́
GEN.	стола́	столі́в
DAT.	столу́	стола́м
ACC.	стіл	столи́
INSTR.	столо́м	стола́ми
PREP.	столі́	стола́х
VOC.	сто́ле	столи́

стіле́ць NOUN

chair Я мо́жу взя́ти стіле́ць? *Can I take a chair?*

	SING.	PL.
NOM.	стіле́ць	стільці́
GEN.	стільця́	стільці́в
DAT.	стільцю́	стільця́м
ACC.	стіле́ць	стільці́
INSTR.	стільце́м	стільця́ми
PREP.	стільці́	стільця́х
VOC.	стільцю́	стільці́

стіна́ NOUN

wall Що ви ба́чите на стіні́? *What do you see on the wall?*

	SING.	PL.
NOM.	стіна́	сті́ни
GEN.	стіни́	стін
DAT.	стіні́	сті́нам
ACC.	стіну́	сті́ни
INSTR.	стіно́ю	сті́нами
PREP.	стіні́	сті́нах
VOC.	сті́но	сті́ни

сто NUMBER

hundred Приві́т! Я не ба́чив тебе́ сто ро́ків! *Hello! I have not seen you in a hundred years!*

столи́ця NOUN

capital Ки́їв столи́ця Украї́ни. *Kyiv is the capital of Ukraine.*

	SING.	PL.
NOM.	столи́ця	столи́ці
GEN.	столи́ці	столи́ць
DAT.	столи́ці	столи́цям
ACC.	столи́цю	столи́ці
INSTR.	столи́цею	столи́цями
PREP.	столи́ці	столи́цях

VOC.	столи́це	столи́ці

столі́ття NOUN, NEUTER **century**
Столі́ття – це сто ро́ків. *A century is a hundred years.*

	SING.	PL.
NOM.	столі́ття	столі́ття
GEN.	столі́ття	столі́ть
DAT.	столі́ттю	столі́ттям
ACC.	столі́ття	столі́ття
INSTR.	столі́ттям	столі́ттями
PREP.	столі́тті	столі́ттях
VOC.	столі́ття	столі́ття

сторі́нка NOUN
page Сього́дні ми бу́демо чита́ти текст на сторі́нці п'ятна́дцять. *Today we will be reading the text on page fifteen.*

	SING.	PL.
NOM.	сторі̂нка	сторінки́
GEN.	сторі̂нки	сторіно́к
DAT.	сторі̂нці	сторінка́м
ACC.	сторі̂нку	сторінки́
INSTR.	сторі̂нкою	сторінка́ми
PREP.	сторі̂нці	сторінка́х
VOC.	сторі̂нко	сторінки́

стоя́ти IMPERFECTIVE VERB
❶ **stand** Він стоя́в бі́ля вхо́ду і чека́в на не́ї. *He stood at the entrance and waited for her.*
❷ **be** Твоя́ ча́шка стоі́ть на столі́ у кімна́ті. *Your cup is on the table in the room.*

PRES.	я стою́	ми стоїмо́
	ти стої́ш	ви стоїте́
	він стої́ть	вони́ стоя́ть
PAST	M. стоя́в	NT. стоя́ло
	F. стоя́ла	PL. стоя́ли

студе́нт NOUN
(male) **student** Скі́льки у вас студе́нтів? *How many students do you have?*

⚠ Студе́нт is a student at the college/university level. (*compare:* у́чень)

	SING.	PL.
NOM.	студе́нт	студе́нти
GEN.	студе́нта	студе́нтів
DAT.	студе́нту	студе́нтам
ACC.	студе́нта	студе́нтів
INSTR.	студе́нтом	студе́нтами
PREP.	студе́нті	студе́нтах
VOC.	студе́нте	студе́нти

студе́нтка NOUN
(female) **student** У на́шій гру́пі ті́льки три студе́нтки. *There are only three female students in our group.* (*compare:* учени́ця)

	SING.	PL.
NOM.	студе́нтка	студе́нтки
GEN.	студе́нтки	студе́нток
DAT.	студе́нтці	студе́нткам
ACC.	студе́нтку	студе́нток
INSTR.	студе́нткою	студе́нтками
PREP.	студе́нтці	студе́нтках
VOC.	студе́нтко	студе́нтки

студе́нтський ADJECTIVE
student- Ти вже оде́ржав студе́нтський квито́к? *Did you get your student card?*

M.	студе́нтський	NT.	студе́нтське
F.	студе́нтська	PL.	студе́нтські

субо́та NOUN
Saturday **у/в субо́ту** *on Saturday* У субо́ту ми ї́демо до музе́ю. *On Saturday we're going to the museum.* **щосубо́ти** *on Saturdays*

	SING.	PL.
NOM.	субо́та	субо́ти
GEN.	субо́ти	субо́т
DAT.	субо́ті	субо́там
ACC.	субо́ту	субо́ти
INSTR.	субо́тою	субо́тами
PREP.	субо́ті	субо́тах
VOC.	субо́то	субо́ти

суве́нір NOUN

souvenir Мені́ потрі́бно купи́ти сувені́ри для батькі́в та дру́зів. *I need to buy gifts for my parents and friends.*

	SING.	PL.
NOM.	сувені́р	сувені́ри
GEN.	сувені́ра	сувені́рів
DAT.	сувені́ру	сувені́рам
ACC.	сувені́р	сувені́ри
INSTR.	сувені́ром	сувені́рами
PREP.	сувені́рі	сувені́рах
VOC.	сувені́ре	сувені́ри

су́кня NOUN

dress Я подарува́в дружи́ні га́рну су́кню. *I gave my wife a beautiful dress.*

	SING.	PL.
NOM.	су́кня	су́кні
GEN.	су́кні	су́конь
DAT.	су́кні	су́кням
ACC.	су́кню	су́кні
INSTR.	су́кнею	су́княми
PREP.	су́кні	су́книях
VOC.	су́кне	су́кні

су́мка NOUN

bag Я забу́ла су́мку вдо́ма. *I forgot my bag at home.*

	SING.	PL.
NOM.	су́мка	су́мки
GEN.	су́мки	су́мок
DAT.	су́мці	су́мкам
ACC.	су́мку	су́мки
INSTR.	су́мкою	су́мками
PREP.	су́мці	су́мках
VOC.	су́мко	су́мки

суп NOUN

soup Яки́й ваш улю́блений суп? *What is your favorite soup?*

	SING.	PL.
NOM.	суп	супи́
GEN.	су́пу	супі́в
DAT.	су́пу	супа́м
ACC.	суп	супи́
INSTR.	су́пом	супа́ми
PREP.	су́пі	супа́х
VOC.	су́пе	супи́

сусі́д NOUN

(male) **neighbor** У вас до́брі сусі́ди? *Do you have good neighbors?*

	SING.	PL.
NOM.	сусі́д	сусі́ди
GEN.	сусі́да	сусі́дів
DAT.	сусі́ду	сусі́дам
ACC.	сусі́да	сусі́дів
INSTR.	сусі́дом	сусі́дами
PREP.	сусі́ді	сусі́дах
VOC.	сусі́де	сусі́ди

сусі́дка NOUN

(female) **neighbor** До́брого дня! Я ва́ша нова́ сусі́дка. Ду́же прие́мно! *Hello! I'm your new neighbor. It's nice to meet you.*

	SING.	PL.
NOM.	сусі́дка	сусі́дки
GEN.	сусі́дки	сусі́док
DAT.	сусі́дці	сусі́дкам
ACC.	сусі́дку	сусі́док
INSTR.	сусі́дкою	сусі́дками
PREP.	сусі́дці	сусі́дках
VOC.	сусі́дко	сусі́дки

суча́сний ADJECTIVE

modern Вам подо́бається суча́сна му́зика? *Do you like modern music?*

M.	суча́сний	NT.	суча́сне
F.	суча́сна	PL.	суча́сні

сього́дні ADVERB

today У вас є сього́дні уро́ки? *Do you have lessons today?*

сюди́ ADVERB

(to) here Коли́ ви приї́хали сюди́, до Украї́ни? *When did you come here, to Ukraine?* (*antonym:* туди́)

Тт *Тт* *Тт*

та CONJUNCTION

and У мéне є брат та дві сестри́. *I have a brother and two sisters.* (*compare:* і)

Таїлáнд NOUN

(geography) **Thailand** Я живу́ у Таїлáнді вже п'ять рóків. *I've been living in Thailand for five years.*

	SING.		SING.
NOM.	Таїлáнд	INSTR.	Таїлáндом
GEN.	Таїлáнда	PREP.	Таїлáнді
DAT.	Таїлáнду	VOC.	Таїлáнде
ACC.	Таїлáнд		

так PARTICLE, ADVERB

❶ PARTICLE

yes – Ви говóрите украї́нською? – Так, я розмовля́ю украї́нською. *Do you speak Ukranian? – Yes, I speak Ukranian.* (*antonym:* ни)

❷ ADVERB

so, like this Чому́ ти так рáно поснíдав? *Why did you have breakfast so early?*

тáкож ADVERB

also, in addition Кáтя говóрить францу́зькою. Тáкож вонá вивчáє нíмéцьку мóву. *Katya speaks French. She's also learning German.* (*compare:* теж)

таксí NOUN, INDECLINABE

taxi Ви прийдете на таксí? *Will you arrive in a taxi?*

⚠ Таксí is indeclinable. It does not change form for case or number.

талановúтий ADJECTIVE

talented Усí знáють, що Михáйло – талановúтий музикáнт. *Everyone knows that Mikhailo is a talented musician.*

M.	талановúтий	NT.	талановúте
F.	талановúта	PL.	талановúті

там ADVERB

there Жéня у пáрку. Натáля теж зáраз там. *Zhenya is at the park. Natasha is there now too.* (*antonym:* тут)

танцювáти IMPERFECTIVE VERB

dance По субóтах вонú танцю́ють у клу́бі. *On Saturdays, they dance at the club.*

PRES.	я танцю́ю	ми танцю́ємо
	ти танцю́єш	ви танцю́єте
	він танцю́є	вонú танцю́ють
PAST	M. танцювáв	NT. танцювáло
	F. танцювáла	PL. танцювáли

тáто NOUN, MASCULINE

dad Вчóра тáто прийшóв із робóти ду́же пíзно. *Yesterday Dad came home from work very late.* (*synonym:* бáтько; *antonym:* мáма)

	SING.	PL.
NOM.	тáто	тáти
GEN.	тáта	тат
DAT.	тáту	тáтам
ACC.	тáта	тат
INSTR.	тáтом	тáтами
PREP.	тáті	тáтах
VOC.	тáто	тáти

твій PRONOUN, POSSESSIVE **your** Де живу́ть твої́ батьки́? *Where do your parents live?*

M.	твій	NT.	твоє́
F.	твоя́	PL.	твої́

теа́тр NOUN

theater Ми ча́сто хо́димо до теа́тру. *We often go to the theater.*

	SING.	PL.
NOM.	теа́тр	теа́три
GEN.	теа́тру	теа́трів
DAT.	теа́тру	теа́трам
ACC.	теа́тр	теа́три
INSTR.	теа́тром	теа́трами
PREP.	теа́трі	теа́трах
VOC.	теа́тре	теа́три

тебе́ PRONOUN, GENITIVE/ACCUSATIVE

you Я ба́чу тебе́ на робо́ті щодня́. *I see you at work every day.* У те́бе є украї́нський па́спорт? *Do you have a Ukrainian passport?* Я завжди́ ду́маю про те́бе. *I always think of you.* (*see also:* ти)

After a preposition, the stress shifts to the first syllable: тебе́.

теж PARTICLE

also, too, as well – Сього́дні ми ї́демо на приро́ду. – Так? Ми теж! *Today we're going to the countryside. – Oh yeah? So are we!* (*compare:* ещё, та́кож)

текст NOUN

text Я не мо́жу зрозумі́ти цей текст. *I cannot understand this text.*

	SING.	PL.
NOM.	текст	те́ксти
GEN.	те́ксту	те́кстів
DAT.	те́ксту	те́кстам
ACC.	текст	те́ксти
INSTR.	те́кстом	те́кстами
PREP.	те́ксті	те́кстах
VOC.	те́ксте	те́ксти

телеві́зор NOUN

television, TV У нас є мале́нький телеві́зор у ку́хні. *We have a small television in the kitchen.*

	SING.	PL.
NOM.	телеві́зор	телеві́зори
GEN.	телеві́зора	телеві́зорів
DAT.	телеві́зору	телеві́зорам
ACC.	телеві́зор	телеві́зори
INSTR.	телеві́зором	телеві́зорами
PREP.	телеві́зорі	телеві́зорах
VOC.	телеві́зоре	телеві́зори

телепереда́ча NOUN

television broadcast Мені́ не подо́бається ця телепереда́ча. *I do not like this TV show.*

	SING.	PL.
NOM.	телепереда́ча	...переда́чі
GEN.	телепереда́чі	...переда́ч
DAT.	телепереда́чі	...переда́чам
ACC.	телепереда́чу	...переда́чі
INSTR.	телепереда́чей	...переда́чами
PREP.	телепереда́чі	...переда́чах

телефо́н NOUN

phone Да́йте ваш но́мер телефо́ну, будь ла́ска. *Give your phone number, please.*

	SING.	PL.
NOM.	телефо́н	телефо́ни
GEN.	телефо́ну	телефо́нів
DAT.	телефо́ну	телефо́нам
ACC.	телефо́н	телефо́ни
INSTR.	телефо́ном	телефо́нами
PREP.	телефо́ні	телефо́нах
VOC.	телефо́не	телефо́ни

телефонува́ти IMPERFECTIVE VERB

call, telephone Я телефону́ю ма́мі щонеді́лі. *I call my mom on Sundays.* (*perfective verb:* зателефонува́ти)

FUT.	телефону́ю	телефону́ємо
	телефону́єш	телефону́єте
	телефону́є	телефону́ють

PAST M. телефонува́в
F. телефонува́ла
NT. телефонува́ло
PL. телефонува́ли

температу́ра NOUN

temperature Яка́ сього́дні температу́ра на ву́лиці? *What is the temperature outside today?*

	SING.	PL.
NOM.	температу́ра	температу́ри
GEN.	температу́ри	температу́р
DAT.	температу́рі	температу́рам
ACC.	температу́ру	температу́ри
INSTR.	температу́рою	температу́рами
PREP.	температу́рі	температу́рах
VOC.	температу́ро	температу́ри

те́ніс NOUN, UNCOUNTABLE

tennis Раніше я ча́сто грав у те́ніс. *I used to play tennis a lot.*

	SING.		SING.
NOM.	те́ніс	INSTR.	те́нісом
GEN.	те́нісу	PREP.	те́нісі
DAT.	те́нісу	VOC.	те́нісе
ACC.	те́ніс		

тепе́р ADVERB

now Раніше ми ма́ли одну́ кі́шку, а тепе́р дві. *We used to have one cat, but now we have two.* (*antonym:* раніше)

⚠ Тепе́р is used to contrast with the past, as in the example above. (*compare:* за́раз)

те́пло PREDICATIVE ADJECTIVE

it is warm Надво́рі ду́же те́пло сього́дні. *It is very warm out today.* (*antonym:* хо́лодно)

ти PRONOUN, NOMINATIVE

❶ **you** Ти хо́чеш моро́зиво? *Do you want ice cream?*

❷ **you are** Де ти? *Where are you?*

⚠ Ти is used to address one person with whom you are on informal terms–a friend, family member, child, animal, or God. (*compare:* ви)

NOM.	ти	ACC.	тебе́
GEN.	тебе́	INSTR.	тобо́ю
DAT.	тобі́	PREP.	тобі́

ти́ждень NOUN

week У ти́жні сім днів *There are seven days in a week.*

	SING.	PL.
NOM.	ти́ждень	ти́жні
GEN.	ти́жня	ти́жнів
DAT.	ти́жню	ти́жням
ACC.	ти́ждень	ти́жні
INSTR.	ти́жнем	ти́жнями
PREP.	ти́жні	ти́жнях
VOC.	ти́жню	ти́жні

ти́сяча NUMBER

thousand Ти́сяча гри́вень – це бага́то? *Is a thousand hryvnias a lot?*

ти́хо ADVERB

quietly, calmly Чому́ ти гово́риш так ти́хо? *Why are you talking so quietly?* (*antonym:* го́лосно)

ті́льки PARTICLE

only У ме́не є ті́льки п'ятдеся́т гри́вень. *I only have fifty hryvnias.*

тобі́ PRONOUN, DATIVE

(to) you Скільки тобі́ ро́ків? *How old are you?* За́втра я дам тобі́ відповідь. *I'll give you an answer tomorrow.* (*see also:* ти)

тобо́ю PRONOUN, INSTRUMENTAL

you з тобо́ю with you Я не хо́чу розмовля́ти з тобо́ю. *I do not want to talk with you.* (*see also:* ти)

това́риш NOUN

comrade, companion, friend Соба́ка – мій това́риш. *The dog is my companion.*

	SING.	PL.
NOM.	това́риш	това́риші
GEN.	това́риша	това́ришів
DAT.	това́ришу	това́ришам
ACC.	това́риша	това́ришів
INSTR.	това́ришем	това́ришами
PREP.	това́риші	това́ришах
VOC.	това́ришу	това́риші

то́му ADVERB

ago Миха́йло приї́хав до Ки́єва п'ять ро́ків тому́. *Mikhailo came to Kyiv five years ago.*

тра́вень NOUN

May У те́бе і́спити у тра́вні? *Do you have exams in May?*

	SING.	PL.
NOM.	тра́вень	тра́вні
GEN.	тра́вня	тра́внів
DAT.	тра́вню	тра́вням
ACC.	тра́вень	тра́вні
INSTR.	тра́внем	тра́внями
PREP.	тра́вні	тра́внях
VOC.	тра́вню	тра́вні

трамва́й NOUN

tram Ти поі́деш додо́му трамва́єм? *Are you going home on the tram?*

	SING.	PL.
NOM.	трамва́й	трамва́ї
GEN.	трамва́я	трамва́їв
DAT.	трамва́ю	трамва́ям
ACC.	трамва́й	трамва́ї
INSTR.	трамва́єм	трамва́ями
PREP.	трамва́ї	трамва́ях
VOC.	трамва́ю	трамва́ї

тра́нспорт NOUN, UNCOUNTABLE

transport Яки́й тра́нспорт є у ва́шому мі́сті? *What kind of transport do you have in the city?*

	SING.	PL.
NOM.	тра́нспорт	тра́нспорти
GEN.	тра́нспорту	тра́нспортів
DAT.	тра́нспорту	тра́нспортам
ACC.	тра́нспорт	тра́нспорти
INSTR.	тра́нспортом	тра́нспортами
PREP.	тра́нспорті	тра́нспортах
VOC.	тра́нспорте	тра́нспорти

тре́ба ADVERB

(+ infinitive verb) **must, have to** Вам тре́ба піти́ до лі́каря. *You must go to the doctor.* (*compare:* потрі́бно)

три NUMBER

three У ме́не є три сестри́. *I have three sisters.*

три́дцять NUMBER

thirty У гру́дні мені́ три́дцять ро́ків. *In December, I will be thirty years.*

трина́дцять NUMBER

thirteen Я написа́в сло́во трина́дцять разі́в, щоб запа-м'ята́ти його́. *I wrote the word thirteen times to memorize it.*

три́ста NUMBER

three hundred У нас на факульте́ті три́ста люде́й. *We have a faculty of three hundred people.*

три́чі ADVERB

three times, thrice Я їм три́чі на день. *I eat three times a day.*

троле́йбус NOUN

trolley(bus) Я ніко́ли не ї́здила троле́йбусом. *I've never ridden the trolley.*

	SING.	PL.
NOM.	троле́йбус	троле́йбуси
GEN.	троле́йбуса	троле́йбусів
DAT.	троле́йбусу	троле́йбусам
ACC.	троле́йбус	троле́йбуси
INSTR.	троле́йбусом	троле́йбусами
PREP.	троле́йбусі	троле́йбусах
VOC.	троле́йбусе	троле́йбуси

туди́ ADVERB

there – Коли́ вони́ поїдуть до А́фрики? – Вони́ поїдуть туди́ восени́. *When are they going to go to Africa? – They are going there in the fall.* (*antonym:* сюди́)

тури́ст NOUN

tourist В Оде́сі бага́то тури́стів узи́мку? *Are there a lot of tourists in Odesa in the winter?*

	SING.	PL.
NOM.	тури́ст	тури́сти
GEN.	тури́ста	тури́стів
DAT.	тури́сту	тури́стам
ACC.	тури́ста	тури́стів
INSTR.	тури́стом	тури́стами
PREP.	тури́сті	тури́стах
VOC.	тури́сте	тури́сти

тут ADVERB

here І́гор та Софі́я завжди́ гуля́ють тут. *Igor and Sofia always go for walks here.* Мишко́! Ти тут? *Mishko! Are you here?* (*antonym:* там)

Уу *Уу* *Уу*

⚠ You'll notice several words on this and the following pages that begin with у and have an alternate form beginning in в. The forms are used according to the Urkrainian sense of euphony (what sounds best). The basic rule of thumb is that the forms with у- are used at the beginning of a sentence or following a consonant, and the forms with в- are used after a vowel.

у (в) PREPOSITION
❶ *(location; + prepositional case)* **in, at** Твій підручни́к у кімна́ті. *Your book is in the room.* Твої́ підру́чники в кімна́ті. *Your books are in the room.*
❷ *(direction; + accusative case)* **to, into** Уве́чері ми йде́мо у кіно́. *In the evening, we're going to the movies.* (*antonym:* з)
❸ *(time; + accusative case)* **in, on** У четве́р бу́де до́бра пого́да. *On Thursday, the weather will be nice.*
❹ *(+ genitive case)* **at, by** Стіл стоїть у вікна́. *The table is by the window.*
❺ *(у + possessor in genitive case)* **у __ є** (+ thing possessed in nominative case) *have* У вас є автівка? *Do you have a car?* **у __ немає** (+ thing possessed in genitive case) *not have* У ме́не нема́ часу. *I do not have time.*

⚠ The past tense of the verb бу́ти is used to express *had* and agrees with the thing possessed in number and gender: У Марії в рука́х були́ кві́ти. *Maria had flowers in her hands.*

⚠ Є is not used when describing appearance: У ме́не зеле́ні о́чі. *I have green eyes.*

⚠ As a rule of thumb, в should be used (instead of у) between vowels and can be used between a vowel and a consonant (except ф or в or a cluster that contains в).

ува́жно ADVERB
attentively, carefully Ми ува́жно слу́хаємо вас. *We are listening to you carefully.*

увесь (весь) PRONOUN
all Дощ іде́ весь день. *It has been raining all day.* Богда́н працюва́в увесь день. *Bogdan worked all day.*

M.	уве́сь (весь)	NT.	усе́ (все)
F.	уся́ (вся)	PL.	усі́ (всі)

уве́чері (вве́чері) ADVERB
in the evening Уве́чері ми зазвича́й гуля́ємо. *We usually go for a walk in the evening.* **сього́дні вве́чері** *tonight* (*antonym:* ура́нці)

уде́нь (вдень) ADVERB
in the afternoon Уде́нь я піду́ до бібліоте́ки. *In the afternoon, I'll go to the library.* (*antonym:* уночі́) **і вдень, і вночі́** *day and night* Я працю́ю і вдень, і вночі́. *I work day and night.*

уже́ (вже) PARTICLE
already Ми вже прийшли́ зі шко́ли. *We have already gotten home from school.* (*antonym:* ще не)

узи́мку (взи́мку) ADVERB

in the winter Ми не лю́бимо гуля́ти взи́мку. *We do not like to go for walks in the winter.* (*antonym:* влі́тку)

узя́ти (взя́ти) PERFECTIVE VERB

take, get Де Сергі́й узя́в ру́чку? *Where did Sergiy get a pen?* (*antonym:* да́ти; *imperfective verb:* бра́ти)

FUT.	я ві́зьму́	ми ві́зьмемо
	ти ві́зьмеш	ви ві́зьмете
	він ві́зьме	вони́ ві́зьмуть
PAST	M. узяв/взяв	NT. узя́ло/взя́ло
	F. узя́ла/взя́ла	PL. узя́ли/взя́ли

Украї́на NOUN

(geography) **Ukraine** Украї́на - краї́на ві́льних люде́й. *Ukraine is a country of free people.* В Украї́ні живе́ бага́то люде́й. *There are a lot of people living in Ukraine.*

	SING.		SING.
NOM.	Україна	INSTR.	Україною
GEN.	України	PREP.	Україні
DAT.	Україні	VOC.	Україно
ACC.	Україну		

украї́нець NOUN

(male) **Ukrainian** Вони́ украї́нці. *They are Ukrainian..*

⚠ As with all nouns denoting male humans, the plural can refer to mixed groups of men and women or in a general sense.

	SING.	PL.
NOM.	українець	українці
GEN.	українця	українців
DAT.	українцю	українцям
ACC.	українця	українців
INSTR.	українцем	українцями
PREP.	українці	українцях
VOC.	українцю	українці

украї́нка NOUN

(female) **Ukrainian** Ма́ма Окса́ни украї́нка. *Oksana's mother is Ukrainian.*

	SING.	PL.
NOM.	українка	українки
GEN.	українки	українок
DAT.	українці	українкам
ACC.	українку	українок
INSTR.	українкою	українками
PREP.	українці	українках
VOC.	українко	українки

украї́но-англі́йський ADJECTIVE

Ukrainian-English Вчо́ра я купи́в нови́й украї́но-англі́йський словни́к. *Yesterday I bought a new Ukrainian-English dictionary.*

украї́нський ADJECTIVE

Ukrainian Вам подо́бається украї́нська ку́хня? *Do you like Ukrainian cuisine?*

M.	український	NT.	українське
F.	українська	PL.	українські

украї́нською ADVERB

in Ukrainian Як сказа́ти "tomorrow" украї́нською? *How do you say "tomorrow" in Ukranian?*

улю́блений ADJECTIVE

favorite У те́бе є улю́блений худо́жник? *Do you have a favorite artist?*

M.	улюблений	NT.	улюблене
F.	улюблена	PL.	улюблені

університе́т NOUN

university, college Ти вчи́шся в університе́ті? *Do you go to college?*

	SING.	PL.
NOM.	університе́т	університе́ти
GEN.	університе́ту	університе́тів

DAT.	університе́ту	університе́там
ACC.	університе́т	університе́ти
INSTR.	університе́том	університе́тами
PREP.	університе́ті	університе́тах
VOC.	університе́те	університе́ти

уночі́ (вночі́) ADVERB

at night Ми прийдемо за́втра вночі́. *We will come tomorrow night.* (*antonym:* уде́нь)

ура́нці (вра́нці) ADVERB

in the morning Я люблю́ займа́тися спо́ртом ура́нці. *I love to exercise in the morning.* (*antonym:* уве́чері)

уро́к NOUN

lesson Що ви роби́ли на уро́ці вчо́ра? *What were you doing in class yesterday?*

	SING.	PL.
NOM.	уро́к	уро́ки
GEN.	уро́ку	уро́ків
DAT.	уро́ку	уро́кам
ACC.	уро́к	уро́ки
INSTR.	уро́ком	уро́ками
PREP.	уро́ку	уро́ках
VOC.	уро́ку	уро́ки

у́ряд NOUN

government Що ка́жуть лю́ди про у́ряд? *What are people saying about the government?*

	SING.	PL.
NOM.	у́ряд	у́ряди
GEN.	у́ряду	у́рядів
DAT.	у́ряду	у́рядам
ACC.	у́ряд	у́ряди
INSTR.	у́рядом	у́рядами
PREP.	у́ряді	у́рядах
VOC.	у́ряде	у́ряди

усе́ (все) PRONOUN, NEUTER

❶ **everything** Я куплю́ все, що хо́чеш. *I'll buy everything you want.*
❷ *(+ neuter noun)* **all** Я жив у Ки́єві все лі́то. *I stayed in Kyiv all summer.* Усе́ лі́то я жив у Ки́єві. *All summer, I stayed in Kyiv.*
(*see also:* уве́сь)

усі́ (всі) PRONOUN, PLURAL

❶ **everyone, everybody** Усі́ хо́чуть пої́хати до Аме́рики. *Everybody wants to go to America.* (*see also:* уве́сь)
❷ *(+ plural noun)* **all** Усі́ студе́нти за́раз слу́хають пі́сню. *All of the students are listening to a song now.* (*see also:* усе́)

учени́ця NOUN

(female) **pupil, student** Мари́на ду́же до́бра учени́ця. *Marina is a very good student.*

	SING.	PL.
NOM.	учени́ця	учени́ці
GEN.	учени́ці	учени́ць
DAT.	учени́ці	учени́цям
ACC.	учени́цю	учени́ць
INSTR.	учени́цею	учени́цями
PREP.	учени́ці	учени́цях
VOC.	учени́це	учени́ці

у́чень NOUN

(male) **pupil, student** У́чні до́бре працюва́ли сього́дні на уро́ці. *The students worked hard in class today.*

> ⚠ У́чень is a student at the primary/secondary level. (*compare:* студе́нт)

	SING.	PL.
NOM.	у́чень	у́чні
GEN.	у́чня	у́чнів
DAT.	у́чню	у́чням
ACC.	у́чня	у́чнів
INSTR.	у́чнем	у́чнями
PREP.	у́чні	у́чнях
VOC.	у́чню	у́чні

Фф *Фф* *Фф*

факульте́т NOUN

(university) **department, faculty** Я навча́юся на факульте́ті істо́рії. *I study at the Faculty of History.*

	SING.	PL.
NOM.	факульте́т	факульте́ти
GEN.	факульте́ту	факульте́тів
DAT.	факульте́ту	факульте́там
ACC.	факульте́т	факульте́ти
INSTR.	факульте́том	факульте́тами
PREP.	факульте́ті	факульте́тах
VOC.	факульте́те	факульте́ти

фі́зик NOUN

physicist Ти хо́чеш ста́ти фі́зиком? *Do you want to become a physicist?*

	SING.	PL.
NOM.	фі́зик	фі́зики
GEN.	фі́зика	фі́зиків
DAT.	фі́зику	фі́зикам
ACC.	фі́зика	фі́зиків
INSTR.	фі́зиком	фі́зиками
PREP.	фі́зику	фі́зиках
VOC.	фі́зику	фі́зики

фі́зика NOUN, UNCOUNTABLE

physics Мені́ подо́бається вивча́ти фі́зику. *I like studying physics.*

	SING.		SING.
NOM.	фі́зика	INSTR.	фі́зикою
GEN.	фі́зики	PREP.	фі́зиці
DAT.	фі́зиці	VOC.	фі́зико
ACC.	фі́зику		

філо́лог NOUN

philologist Філо́логи лю́блять літерату́ру. *Philologists love literature.*

	SING.	PL.
NOM.	філо́лог	філо́логи
GEN.	філо́лога	філо́логів
DAT.	філо́логу	філо́логам
ACC.	філо́лога	філо́логів
INSTR.	філо́логом	філо́логами
PREP.	філо́логові	філо́логах
VOC.	філо́логу	філо́логи

філо́соф NOUN

philosopher Він хо́че бу́ти філо́софом. *He wants to be a philosopher.*

	SING.	PL.
NOM.	філо́соф	філо́софи
GEN.	філо́софа	філо́софів
DAT.	філо́софу	філо́софам
ACC.	філо́софа	філо́софів
INSTR.	філо́софом	філо́софами
PREP.	філо́софі	філо́софах
VOC.	філо́софе	філо́софи

фільм NOUN

movie, film Яки́й фільм ви хо́чете подиви́тися? *What movie do you want to watch?*

	SING.	PL.
NOM.	фільм	фі́льми
GEN.	фі́льму	фі́льмів
DAT.	фі́льму	фі́льмам
ACC.	фільм	фі́льми
INSTR.	фі́льмом	фі́льмами
PREP.	фі́льмі	фі́льмах
VOC.	фі́льме	фі́льми

Фінля́ндія NOUN

(geography) **Finland** Ми ча́сто ї́здимо до Фінля́ндії. *We often go to Finland.*

	SING.		SING.
NOM.	Фінля́ндія	INSTR.	Фінля́ндією
GEN.	Фінля́ндії	PREP.	Фінля́ндії
DAT.	Фінля́ндії	VOC.	Фінля́ндіє
ACC.	Фінля́ндію		

фі́рма NOUN

firm Як назива́ється ї́хня фі́рма? *What is the name of their company?*

	SING.	PL.
NOM.	фі̂рма	фі̂рми
GEN.	фі̂рми	фірм
DAT.	фі̂рмі	фі̂рмам
ACC.	фі̂рму	фі̂рми
INSTR.	фі̂рмою	фі̂рмами
PREP.	фі̂рмі	фі̂рмах
VOC.	фі̂рмо	фі̂рми

фотоапара́т NOUN

camera Ти не забу́в фотоапа́рат? *You didn't forget the camera, did you?*

	SING.	PL.
NOM.	фотоапара́т	фотоапара́ти
GEN.	фотоапара́та	фотоапара́тів
DAT.	фотоапара́ту	фотоапара́там
ACC.	фотоапара́т	фотоапара́ти
INSTR.	фотоапара́том	фотоапара́тами
PREP.	фотоапара́ті	фотоапара́тах
VOC.	фотоапара́те	фотоапара́ти

фотогра́фія NOUN

photo(graph) Де усі ва́ші фотогра́фії? *Where are all of your photos?*

	SING.	PL.
NOM.	фотогра́фія	фотогра́фії
GEN.	фотогра́фії	фотогра́фій
DAT.	фотогра́фії	фотогра́фіям
ACC.	фотогра́фію	фотогра́фії
INSTR.	фотогра́фією	фотогра́фіями
PREP.	фотогра́фії	фотогра́фіях
VOC.	фотогра́фіє	фотогра́фії

фотографува́ти IMPERFECTIVE VERB

photograph, take a picture Я люблю́ фотографува́ти приро́ду. *I like to photograph nature.* (*perfective verb:* сфотографува́ти)

PRES.	я ...графу́ю	ми ...графу́ємо
	ти ...графу́єш	ви ...графу́єте
	він ...графу́є	вони́ ...графу́ють
PAST	M. ...графува́в	NT. ...графува́ло
	F. ...графува́ла	PL. ...графува́ли

Фра́нція NOUN

(geography) **France** Чому́ ви не живете́ у Фра́нції з дочко́ю? *Why don't you live in France with your daughter?*

	SING.		SING.
NOM.	Фра́нція	INSTR.	Фра́нцією
GEN.	Фра́нції	PREP.	Фра́нції
DAT.	Фра́нції	VOC.	Фра́нціє
ACC.	Фра́нцію		

францу́женка NOUN

Frenchwoman Ця францу́женка приї́хала із Пари́жа. *This Frenchwoman came from Paris.*

	SING.	PL.
NOM.	францу́женка	францу́женки
GEN.	францу́женки	францу́женок
DAT.	францу́женці	францу́женкам
ACC.	францу́женку	францу́женок
INSTR.	...цу́женкою	...цу́женками
PREP.	францу́женці	францу́женках
VOC.	францу́женко	францу́женки

францу́з NOUN

Frenchman Францу́зи лю́блять пи́ти вино́. *The French like to drink wine.*

	SING.	PL.
NOM.	францу́з	францу́зи
GEN.	францу́за	францу́зів
DAT.	францу́зу	францу́зам
ACC.	францу́за	францу́зів
INSTR.	францу́зом	францу́зами
PREP.	францу́зі	францу́зах
VOC.	францу́зе	францу́зи

францу́зською ADVERB

(in) French Я ча́сто гово́рю францу́зькою на робо́ті. *I often speak French at work.*

французький ADJECTIVE

French Вам подобається французька мова? *Do you like the French language?* (see *note:* американський)

M.	французький	NT.	французьке
F.	французька	PL.	французькі

фрукт NOUN

fruit Який твій улюблений фрукт? *What is your favorite fruit?*

	SING.	PL.
NOM.	фрукт	фрукти
GEN.	фрукта	фруктів
DAT.	фрукту	фруктам
ACC.	фрукт	фрукти
INSTR.	фруктом	фруктами
PREP.	фрукті	фруктах
VOC.	фрукте	фрукти

Футбол NOUN, UNCOUNTABLE

soccer Ви давно граєте у футбол? *Have you been playing soccer long?*

	SING.	PL.
NOM.	футбол	футболи
GEN.	футболу	футболів
DAT.	футболу	футболам
ACC.	футбол	футболи
INSTR.	футболом	футболами
PREP.	футболі	футболах
VOC.	футболе	футболи

футболіст NOUN

soccer player Ви знаєте футболістів з України? *You know any soccer players from Ukraine?*

	SING.	PL.
NOM.	футболіст	футболісти
GEN.	футболіста	футболістів
DAT.	футболісту	футболістам
ACC.	футболіста	футболістів
INSTR.	футболістом	футболістами
PREP.	футболісті	футболістах
VOC.	футболісте	футболісти

Xx *Xx* *Xx*

хара́ктер NOUN

character, disposition, nature Макси́м ма́є си́льний хара́ктер. *Maxim has a strong personality.*

	SING.	PL.
NOM.	хара́ктер	хара́ктери
GEN.	хара́ктеру	хара́ктерів
DAT.	хара́ктеру	хара́ктерам
ACC.	хара́ктер	хара́ктери
INSTR.	хара́ктером	хара́ктерами
PREP.	хара́ктері	хара́ктерах
VOC.	хара́ктере	хара́ктери

Ха́рків NOUN

(geography) **Kharkiv** У Ха́ркові бага́то університе́тів. *There are a lot of universities in Kharkiv.*

	SING.		SING.
NOM.	Ха́рків	INSTR.	Ха́рковом
GEN.	Ха́ркова	PREP.	Ха́ркові
DAT.	Ха́ркову	VOC.	Ха́ркове
ACC.	Ха́рків		

хвили́на NOUN

minute За́раз третя годи́на два́дцять п'ять хвили́н. *It's three twenty-five.*

⚠ The example sentence above is literally 'Now [is] the third hour, 25 minutes.' In Ukrainian, the hour is expressed with an ordinal number but minutes with a cardinal number. (*see also:* годи́на)

	SING.	PL.
NOM.	хвили́на	хвили́ни
GEN.	хвили́ни	хвили́н
DAT.	хвили́ні	хвили́нам
ACC.	хвили́ну	хвили́ни
INSTR.	хвили́ною	хвили́нами
PREP.	хвили́ні	хвили́нах
VOC.	хвили́но	хвили́ни

хвили́ночка NOUN

moment, minute Хвили́ночку! *Just a moment!*

⚠ Here, Хвили́ночку! is in the accusative case because the verb почека́ти *(to wait)* is implied: **Почека́йте хвили́ночку.** *Wait a moment!*

хво́рий ADJECTIVE

ill, sick Миха́йло не пої́хав у кіно́ з на́ми, бо він хво́рий. *Mikhailo didn't go to the movies with us because he's ill.* (*antonym:* здоро́вий)

M.	хво́рий	NT.	хво́ре
F.	хво́ра	PL.	хво́рі

хі́мік NOUN

chemist Хі́міки та фі́зики – це вче́ні. *Chemists and physicists are scientists.*

	SING.	PL.
NOM.	хі́мік	хі́міки
GEN.	хі́міка	хі́міків
DAT.	хі́міку	хі́мікам
ACC.	хі́міка	хі́міків
INSTR.	хі́міком	хі́міками
PREP.	хі́міку	хі́міках
VOC.	хі́міку	хі́міки

хі́мія NOUN, UNCOUNTABLE

chemistry Я не мав хі́мії в університе́ті. *I did not take chemistry in college.*

	SING.		SING.
NOM.	хі́мія	INSTR.	хі́мією
GEN.	хі́мії	PREP.	хі́мії
DAT.	хі́мії	VOC.	хі́міє
ACC.	хі́мію		

хліб NOUN, UNCOUNTABLE

bread Ви їсте́ білий хліб? *Do you eat white bread?*

	SING.	PL.
NOM.	хліб	хліби́
GEN.	хлі̂ба	хлібі̂в
DAT.	хлі̂бу	хліба́м
ACC.	хліб	хліби́
INSTR.	хлі̂бом	хліба́ми
PREP.	хлі̂бі	хліба́х
VOC.	хлі̂бе	хліби́

хло́пчик NOUN

boy Хло́пчики лю́блять гра́ти у па́рку. *The boys like to play in the park.* (*antonym:* дівчинка)

	SING.	PL.
NOM.	хло́пчик	хло́пчики
GEN.	хло́пчика	хло́пчиків
DAT.	хло́пчику	хло́пчикам
ACC.	хло́пчика	хло́пчиків
INSTR.	хло́пчиком	хло́пчиками
PREP.	хло́пчику	хло́пчиках
VOC.	хло́пчику	хло́пчики

ходи́ти IMPERFECTIVE VERB, MULTIDIRECTIONAL *(on foot)* **go, walk** Ви хо́дите у парк щодня́? *Do you go to the park every day?* (*perfective verb:* походи́ти; *compare:* іти́)

PRES.	я ходжу́	ми хо́димо
	ти хо́диш	ви хо́дите
	він хо́дить	вони́ хо́дять
PAST	M. ходи́в	NT. ходи́ло
	F. ходи́ла	PL. ходи́ли

хоке́й NOUN, UNCOUNTABLE

hockey Наш син гра́є у хоке́й. *Our son plays hockey.*

	SING.		SING.
NOM.	хокей	INSTR.	хоке́єм
GEN.	хоке́ю	PREP.	хоке́ю
DAT.	хоке́ю	VOC.	хоке́ю
ACC.	хокей		

хо́лодно PREDICATIVE ADJECTIVE

it is cold Усі зна́ють, що в Украї́ні ду́же хо́лодно. *Everyone knows that it is very cold in Ukraine.* (*antonym:* те́пло)

хоті̂ти IMPERFECTIVE VERB

want Ви хо́чете пої̂хати до Украї̂ни? *Do you want to go to Ukraine?*

PRES.	я хо́чу	ми хо́чемо
	ти хо́чеш	ви хо́чете
	він хо́че	вони́ хо́чуть
PAST	M. хоті̂в	NT. хоті̂ло
	F. хоті̂ла	PL. хоті̂ли

хто PRONOUN, NOMINATAIVE **who** Хто йде у кіно́ вве́чері? *Who is going to the movies tonight?*

худо́жник NOUN

artist У вас є улю́блені італі́йські худо́жники? *Do you have any favorite Italian artists?* (*compare:* арти́ст)

	SING.	PL.
NOM.	худо́жник	худо́жники
GEN.	худо́жника	худо́жників
DAT.	худо́жнику	худо́жникам
ACC.	худо́жника	худо́жників
INSTR.	худо́жником	худо́жниками
PREP.	худо́жнику	худо́жниках
VOC.	худо́жнику	худо́жники

Цц *Цц* *Цц*

це PRONOUN

this is..., these are... Хто це? *Who is this?* Це мої дру́зі. *These are my friends.* (*see also:* цей)

⚠ When used as a subject, це is invariable for gender and number. Compare with the entry below.

цей PRONOUN

(+ noun) **this** Мені́ подо́бається цей проспе́кт. *I like this avenue.*

M.	цей	NT.	це
F.	ця	PL.	ці

⚠ This pronoun agrees in gender and number with the noun it precedes.

центр NOUN

center Ми з дру́зями ме́шкаємо у це́нтрі Ки́єва. *My friends and I live in the center of Kyiv.*

	SING.	PL.
NOM.	центр	це́нтри
GEN.	це́нтра	це́нтрів
DAT.	це́нтру	це́нтрам
ACC.	центр	це́нтри
INSTR.	це́нтром	це́нтрами
PREP.	це́нтрі	це́нтрах
VOC.	це́нтре	це́нтри

цирк NOUN

circus Усі діти люблять цирк. *All children love the circus.*

	SING.	PL.
NOM.	цирк	ци́рки
GEN.	ци́рку	ци́рків
DAT.	ци́рку	ци́ркам
ACC.	цирк	ци́рки
INSTR.	ци́рком	ци́рками
PREP.	ци́рку	ци́рках
VOC.	ци́рку	ци́рки

ци́фра NOUN

number, numeral, figure Яка́ твоя́ улю́блена ци́фра? *What's your favorite number?*

	SING.	PL.
NOM.	ци́фра	ци́фри
GEN.	ци́фри	цифр
DAT.	ци́фрі	ци́фрам
ACC.	ци́фру	ци́фри
INSTR.	ци́фрою	ци́фрами
PREP.	ци́фрі	ци́фрах
VOC.	ци́фро	ци́фри

ціка́вий ADJECTIVE

interesting Це ціка́ва кни́га? *Is it an interesting book?*

M.	ціка́вий	NT.	ціка́ве
F.	ціка́ва	PL.	ціка́ві

ціка́витися IMPERFECTIVE VERB

(+ instrumental case) **be interested in** Я ціка́влюся му́зикою. *I'm interested in music.*

PRES.	ціка́влюся	ціка́вимося
	ціка́вишся	ціка́витеся
	ціка́виться	ціка́вляться
PAST	M. ціка́вився	
	F. ціка́вилася	
	NT. ціка́вилося	
	PL. ціка́вилися	

ціка́во ADVERB

❶ **interestingly** Тобі́ це ціка́во? *Are you interested in this?*

❷ **I wonder...** Ціка́во, чому́ Лари́са сього́дні не прийшла́. *I wonder why Larisa did not come today.*

ціна́ NOUN

price У Ки́єві ду́же висо́кі ціни. *The prices are very high in Kyiv.*

	SING.	PL.
NOM.	ціна́	ці̂ни
GEN.	ціни́	цін
DAT.	ціні̂	ці̂нам
ACC.	ціну́	ці̂ни
INSTR.	ціно́ю	ці̂нами
PREP.	ціні̂	ці̂нах
VOC.	ці̂но	ці̂ни

цу́кор NOUN, UNCOUNTABLE

sugar Я давно́ не їм цу́кор. *I haven't eaten sugar for a long time.*

	SING.	PL.
NOM.	цу́кор	цу́кри
GEN.	цу́кру	цу́крів
DAT.	цу́кру	цу́крам
ACC.	цу́кор	цу́кри
INSTR.	цу́кром	цу́крами
PREP.	цу́крі	цу́крах
VOC.	цу́кре	цу́кри

Чч Чч Чч

чай NOUN

tea Іноді я п'ю чо́рний чай. *I drink black tea sometimes.*

	SING.	PL.
NOM.	чай	чаї́
GEN.	ча́ю	чаї́в
DAT.	ча́ю	чая́м
ACC.	чай	чаї́
INSTR.	ча́єм	чая́ми
PREP.	ча́ї	чая́х
VOC.	ча́ю	чаї́

ча́йник NOUN

kettle Оберéжно! Ча́йник ду́же гаря́чий! *Careful! The kettle is very hot!*

	SING.	PL.
NOM.	ча́йник	ча́йники
GEN.	ча́йника	ча́йників
DAT.	ча́йнику	ча́йникам
ACC.	ча́йник	ча́йники
INSTR.	ча́йником	ча́йниками
PREP.	ча́йнику	ча́йниках
VOC.	ча́йнику	ча́йники

час NOUN

time Скільки ча́су летíти до А́нглії? *How long (lit. how much time) does it take to fly to England?* **весь час** *all the time*

	SING.	PL.
NOM.	час	часи́
GEN.	ча́су	часі́в
DAT.	ча́су	часа́м
ACC.	час	часи́
INSTR.	ча́сом	часа́ми
PREP.	ча́сі	часа́х
VOC.	ча́се	часи́

ча́сто ADVERB

often Ми ча́сто ї́здимо до Єврóпи. *We often go to Europe.* (*antonym:* рідко)

ча́шка NOUN

cup Мені́ потрі́бна нова́ ча́шка. *I need a new cup.*

	SING.	PL.
NOM.	ча́шка	ча́шки
GEN.	ча́шки	ча́шок
DAT.	ча́шці	ча́шкам
ACC.	ча́шку	ча́шки
INSTR.	ча́шкою	ча́шками
PREP.	ча́шці	ча́шках
VOC.	ча́шко	ча́шки

чека́ти IMPERFECTIVE VERB

wait Я не мо́жу до́вго чека́ти. *I cannot wait long.* (*perfective verb:* почека́ти)

PRES.	я чека́ю	ми чека́ємо
	ти чека́єш	ви чека́єте
	він чека́є	вони́ чека́ють
PAST	M. чека́в	NT. чека́ло
	F. чека́ла	PL. чека́ли

чемпіо́н NOUN

champion У че́рвні ми ста́ли чемпіо́нами Євро́пи з футбо́лу. *In June, we became the European soccer champions.*

	SING.	PL.
NOM.	чемпіо́н	чемпіо́ни
GEN.	чемпіо́на	чемпіо́нів
DAT.	чемпіо́ну	чемпіо́нам
ACC.	чемпіо́на	чемпіо́нів
INSTR.	чемпіо́ном	чемпіо́нами
PREP.	чемпіо́ні	чемпіо́нах
VOC.	чемпіо́не	чемпіо́ни

че́рвень NOUN

June Моя́ сестра́ народи́лася у че́рвні. *My sister was born in June.*

	SING.	PL.
NOM.	че́рвень	че́рвні
GEN.	че́рвня	че́рвнів

DAT.	че́рвню	че́рвням
ACC.	че́рвень	че́рвні
INSTR.	че́рвнем	че́рвнями
PREP.	че́рвні	че́рвнях
VOC.	че́рвню	че́рвні

черво́ний ADJECTIVE

red У Оле́ни черво́на чи біла автівка? *Does Elena have a red or a white car?*

M.	черво́ний	NT.	черво́не
F.	черво́на	PL.	черво́ні

четве́р NOUN

Thursday **у/в четве́р** *on Thursday* **щочетверга́** *on Thursdays* Щочетверга́ у ме́не зазвича́й бага́то робо́ти. *On Thursdays, I usually have a lot of work.*

	SING.	PL.
NOM.	четве́р	четвергі́
GEN.	четверга́	четвергі́в
DAT.	четвергу́	четверга́м
ACC.	четве́р	четвергі́
INSTR.	четверго́м	четверга́ми
PREP.	четвергу́	четверга́х
VOC.	четвергу́	четвергі́

Че́хія NOUN

(geography) **the Czech Republic** Що ви купи́ли у Че́хії? *What did you buy in the Czech Republic?*

	SING.		SING.
NOM.	Че́хія	INSTR.	Че́хією
GEN.	Че́хії	PREP.	Че́хії
DAT.	Че́хії	VOC.	Че́хіє
ACC.	Че́хію		

чи CONJUNCTION

or Ви живе́те в буди́нку чи кварти́рі? *Do you live in a house or in an apartment?*

чий PRONOUN, POSSESSIVE **whose** Чий це підру́чник? *Whose is this textbook?*

M.	чий	NT.	чиє́
F.	чия́	PL.	чиї́

чита́ти IMPERFECTIVE VERB

read Що ви лю́бите чита́ти? *What do you like to read?* (*perfective verb:* прочита́ти)

PRES.	я чита́ю	ми чита́ємо
	ти чита́єш	ви чита́єте
	він чита́є	вони́ чита́ють
PAST	M. чита́в	NT. чита́ло
	F. чита́ла	PL. чита́ли
IMPER.	SG. чита́й	PL. чита́йте

чолові́к NOUN

❶ **man** Цей чолові́к із Єги́пту. *This man is from Egypt.* (*antonym:* жі́нка)

❷ **husband** Як звуть чолові́ка Світла́ни? *What is Svetlana's husband's name?* (*antonym:* дружи́на)

	SING.	PL.
NOM.	чолові́к	чолові́ки
GEN.	чолові́ка	чолові́ків
DAT.	чолові́ку	чолові́кам
ACC.	чолові́ка	чолові́ків
INSTR.	чолові́ком	чолові́ками
PREP.	чолові́ку	чолові́ках
VOC.	чолові́че	чолові́ки

чолові́чий ADJECTIVE

masculine, male, man's Де ми мо́жемо купи́ти чолові́чий костю́м? *Where can we buy a man's suit?* (*antonym:* жіно́чий)

M.	чолові́чий	NT.	чолові́че
F.	чолові́ча	PL.	чолові́чі

чому́ ADVERB

why Чому́ ви не бажа́єте йти з на́ми? *Why don't you come with us?*

чо́рний ADJECTIVE

black Тобі подо́бається чо́рний ко́лір? *You like the color black?* (*antonym:* білий)

M.	чо́рний	NT.	чо́рне
F.	чо́рна	PL.	чо́рні

чоти́ри NUMBER

four У нас чоти́ри сини́. *We have four sons.*

чоти́риста NUMBER

four hundred Мені́ потрі́бно чоти́риста гри́вень. У те́бе є? *I need four hundred hryvnias. Do you have that?*

чотирна́дцять NUMBER

fourteen Я телефонува́в тобі́ чотирна́дцять разі́в! *I called you fourteen times!*

Шш *Шш* *Шш*

ша́пка NOUN

beanie, cap Мені́ тре́ба купи́ти ша́пку. *I need to buy a cap.*

	SING.	PL.
NOM.	ша́пка	шапки́
GEN.	ша́пки	шапо́к
DAT.	ша́пці	шапка́м
ACC.	ша́пку	шапки́
INSTR.	ша́пкою	шапка́ми
PREP.	ша́пці	шапка́х
VOC.	ша́пко	шапки́

шарф NOUN

scarf У вас є шарф? *Do you have a scarf?*

	SING.	PL.
NOM.	шарф	ша́рфи
GEN.	ша́рфа	ша́рфів
DAT.	ша́рфу	ша́рфам
ACC.	шарф	ша́рфи
INSTR.	ша́рфом	ша́рфами
PREP.	ша́рфі	ша́рфах
VOC.	ша́рфе	ша́рфи

ша́фа NOUN

cupboard, cabinet, closet, wardrobe Ваш о́дяг у ша́фі. *Your clothes are in the closet.*

	SING.	PL.
NOM.	ша́фа	ша́фи
GEN.	ша́фи	шаф
DAT.	ша́фі	ша́фам
ACC.	ша́фу	ша́фи
INSTR.	ша́фою	ша́фами
PREP.	ша́фі	ша́фах
VOC.	ша́фо	ша́фи

ша́хи NOUN, PLURAL

chess Я не гра́ю у ша́хи. *I do not play chess.*

	PL.		PL.
NOM.	ша́хи	INSTR.	ша́хами
GEN.	ша́хів	PREP.	ша́хах
DAT.	ша́хам	VOC.	ша́хи
ACC.	ша́хи		

Швейца́рія NOUN

(geography) **Switzerland** Що ви зна́єте про Швейца́рію? *What do you know about Switzerland?*

	SING.		SING.
NOM.	Швейца́рія	INSTR.	Швейца́рією
GEN.	Швейца́рії	PREP.	Швейца́рії
DAT.	Швейца́рії	VOC.	Швейца́ріє
ACC.	Швейца́рію		

Шве́ція NOUN

(geography) **Sweden** Норве́гія та Шве́ція – сусі́ди. *Norway and Sweden are neighbors.*

	SING.		SING.
NOM.	Шве́ція	INSTR.	Шве́цією
GEN.	Шве́ції	PREP.	Шве́ції
DAT.	Шве́ції	VOC.	Шве́ціє
ACC.	Шве́цію		

шви́дко ADVERB

fast, quickly І́ра не лю́бить шви́дко ї́сти. *Ira does not like to eat quickly.* (*antonym:* повільно)

шістдеся́т NUMBER

sixty Коли́ мені́ бу́де шістдеся́т ро́ків, я не працюва́тиму. *When I'm sixty years old, I won't be working.*

шістна́дцять NUMBER

sixteen У на́шій гру́пі шістна́дцять студе́нтів. *We have a group of sixteen students.*

шістсо́т NUMBER

six hundred Мій телефо́н ко́штував шістсо́т гри́вень п'ять ро́ків тому́. *My phone cost six hundred hryvnias five years ago.*

шість NUMBER

six Ми були́ у Німе́ччині шість ро́ків тому́. *We were in Germany six years ago.*

шкода́ PARTICLE

it is a pity (that...) Шкода́, що у вас нема́ ча́су. *It is a pity that you do not have time.* **Мені́ ду́же шкода́.** *I apologize; I'm sorry*

шко́ла NOUN

school Твоя́ шко́ла дале́ко від до́му? *Is your school far from home?*

	SING.	PL.
NOM.	шко́ла	шко́ли
GEN.	шко́ли	шкіл
DAT.	шко́лі	шко́лам
ACC.	шко́лу	шко́ли
INSTR.	шко́лою	шко́лами
PREP.	шко́лі	шко́лах
VOC.	шко́ло	шко́ли

шокола́д NOUN, UNCOUNTABLE

chocolate Ви ї́ли францу́зький шокола́д? *Have you eaten French chocolate?*

	SING.		SING.
NOM.	шокола́д	INSTR.	шокола́дом
GEN.	шокола́ду	PREP.	шокола́ді
DAT.	шокола́ду	VOC.	шокола́де
ACC.	шокола́д		

Щщ *Щщ* *Щщ*

щасли́вий ADJECTIVE

❶ **happy** Я ду́же щасли́ва люди́на. *I'm a very happy person.* Щасли́вої доро́ги! *Have a nice trip!*

⚠ Щасли́вої is the feminine genitive declension of this adjective. You will learn about adjective case declensions at the A2 level.

❷ **lucky** Трина́дцять – це щасли́ве число́ для те́бе? *Is thirteen a lucky number for you?* Ти живе́ш бі́ля мо́ря. Ти щасли́ва люди́на! *You live by the sea. You're lucky!*

M.	щасли́вий	NT.	щасли́ве
F.	щасли́ва	PL.	щасли́ві

ща́стя NOUN, NEUTER, UNCOUNTABLE

happiness Що таке́ ща́стя? *What is happiness?*

	SING.		SING.
NOM.	ща́стя	INSTR.	ща́стям
GEN.	ща́стя	PREP.	ща́сті
DAT.	ща́стю	VOC.	ща́стя
ACC.	ща́стя		

ще ADVERB

yet Ва́ші дру́зі ще не прийшли́. *Your friends have not come yet.* (*antonym:* уже́)

що PRONOUN, CONJUNCTION

❶ PRONOUN **what** Що ви хо́чете сказа́ти? *What do you want to say?*

❷ CONJUNCTION

that Я не зна́ла, що Ю́рій уже приї́хав. *I did not know that Yuri had already arrived.*

Юю *Юю* *Юю*

юри́ст NOUN

lawyer Пі́сля університе́ту я працюва́тиму юри́стом. *After college, I'm going to work as a lawyer.*

	SING.	PL.
NOM.	юри́ст	юри́сти
GEN.	юри́ста	юри́стів
DAT.	юри́сту	юри́стам
ACC.	юри́ста	юри́стів
INSTR.	юри́стом	юри́стами
PREP.	юри́сті	юри́стах
VOC.	юри́сте	юри́сти

Яя *Яя* *Яя*

Я PRONOUN, NOMINATIVE

❶ **I** Я не прийду додому сьогодні. *I won't come home today.*

❷ **I am** Я студентка, навчаюсь в Одесі. *I'm a student. I study in Odesa.*

NOM.	я	ACC.	мене́
GEN.	мене́	INSTR.	мно́ю
DAT.	мені́	PREP.	мені́

я́блуко NOUN

apple Іра їсть тільки черво́ні я́блука. *Ira only eats red apples.*

	SING.	PL.
NOM.	я́блуко	я́блука
GEN.	я́блука	я́блук
DAT.	я́блуку	я́блукам
ACC.	я́блуко	я́блука
INSTR.	я́блуком	я́блуками
PREP.	я́блуку	я́блуках
VOC.	я́блуко	я́блука

яйце́ NOUN

egg Ми їмо́ я́йця на сніда́нок. *We eat eggs for breakfast.*

	SING.	PL.
NOM.	яйце́	я́йця
GEN.	яйця́	яє́ць
DAT.	яйцю́	я́йцям
ACC.	яйце́	я́йця
INSTR.	яйце́м	я́йцями
PREP.	яйцю́	я́йцях
VOC.	яйче́	я́йця

ЯК ADVERB, CONJUNCTION

❶ ADVERB **how** Як сказа́ти "нога́" англі́йською? *How do you say "нога" in English?*

❷ CONJUNCTION **how** Я хо́чу зна́ти, як ти це зроби́в. *I want to know how you did this.*

яки́й PRONOUN

❶ *(question)* **which, what kind of** Яки́й твій улю́блений день ти́жня? *What's your favorite day of the week?*

❷ *(exclamation)* **What a...!** Яке́ вели́ке крі́сло! *What a big armchair!*

❸ **that, which, who** Це Джон – мій друг, яки́й зна́є про Украї́ну все. *This is John, a friend of mine who knows everything about Ukraine.*

M.	яки́й	NT.	яке́
F.	яка́	PL.	які́

Япо́нія NOUN

(geography) **Japan** Ми ме́шкали в Япо́нії п'ять ро́ків. *We lived in Japan for five years.*

	SING.		SING.
NOM.	Япо́нія	INSTR.	Япо́нією
GEN.	Япо́нії	PREP.	Япо́нії
DAT.	Япо́нії	VOC.	Япо́ніє
ACC.	Япо́нію		

Grammar Terms

This is a list of grammar terms that you may encounter in books or lessons while studying Ukrainian.

абе́тка	**alphabet**
анто́нім	**antonym**
вид	**aspect**
вимо́ва	**pronunciation**
відмі́нок	**case**
відмі́нювання	**conjugation**
голосни́й звук	**vowel sound**
дава́льний відмі́нок	**dative case**
двокра́пка	**colon**
дієсло́во	**verb**
доко́наний вид (дієсло́ва)	**the perfective aspect (of a verb)**
жіно́чий рід	**feminine gender**
займе́нник	**pronoun**
закі́нчення	**ending**
зворо́тне дієсло́во	**reflexive verb**
звук	**sound**
знак о́клику	**exclamation mark**
знак пита́ння	**question mark**
знахі́дний відмі́нок	**accusative case**
зна́чення сло́ва	**meaning of a word**
імперати́в	**imperative mood**
інтона́ція	**intonation**
інфініти́в	**infinitive**
кі́лькісний числі́вник	**cardinal number**
кли́чний відмі́нок	**vocative case**
ко́ма	**comma**
коро́тка фо́рма прикме́тника	**short form of an adjective, short adjective**
кра́пка	**point**
лапки́	**quotation marks**

ле́ксика	**vocabulary**
лінгві́стика	**linguistics**
м'які́й при́голосний звук	**soft consonant**
майбу́тній час	**future tense**
мину́лий час	**past tense**
місце́вий відмі́нок	**prepositional case**
множина́	**plural**
на́голос	**accent**
називни́й відмі́нок	**nominative case**
наказо́вий спо́сіб	**imperative mood**
недоко́наний вид (дієсло́ва)	**imperfective aspect (of a verb)**
неперехідне́ дієсло́во	**intransitive verb**
однина́	**singular**
ору́дний відмі́нок	**instrumental case**
особо́вий займе́нник	**personal pronoun**
перехідне́ дієсло́во	**transitive verb**
пита́льний займе́нник	**interrogative pronoun**
по́вна фо́рма прикме́тника	**full form of an adjective, long adjective**
порядко́вий числі́вник	**ordinal number**
пре́фікс	**prefix**
при́голосний звук	**consonant**
прийме́нник	**preposition**
прикме́тник	**adjective**
присві́йний займе́нник	**possessive pronoun**
прислі́вник	**adverb**
просте́ ре́чення	**simple sentence**
пряма́ мо́ва	**direct speech**
ре́чення	**sentence**
рід	**gender**
родови́й відмі́нок	**genitive case**
сере́дній рід	**neuter gender**
сино́нім	**synonym**
си́нтаксис	**syntax**
склад	**syllable**

складнé рéчення	**compound sentence, complex sentence**
сполýчник	**conjunction**
сýфікс	**suffix**
тверди́й при́голосний звук	**hard consonant**
тепéрішній час	**present tense**
тéрмін	**term**
тирé	**dash**
фонéтика	**phonetics**
фрáза	**phrase**
час	**tense**
части́на промóви	**part of speech**
чергувáння	**alternation**
чисéльник	**number, numeral**
числó	**number**
чоловíчий рід	**masculine gender**

Ukrainian Names

Below is a list of common Ukrainian names. Many are used in the example sentences in this dictioanry. Nicknames of each name are shown in parentheses.

Men's Names

Андрі́й (Андрю́ша/Андрі́йко)	**Andriy (Andryusha/Andriyko)**
Анто́н (Анто́ша)	**Anton (Antosha)**
Богда́н (Бо́дя)	**Bogdan (Bogdan)**
Бори́с (Бо́ря)	**Boris (Borya)**
Вади́м (Ва́дик)	**Vadim (Vadik)**
Володи́мир (Воло́дя/Во́ва)	**Volodymyr (Volodya/Vova)**
Дмитро́ (Ді́ма/Ми́тя)	**Dmitro (Dima/Mitya)**
Євге́н (Же́ня)	**Evgen (Zhenya)**
Іва́н (Ва́ня)	**Ivan (Vanya)**
І́гор (Ігорьо́к)	**Igor (Igorok)**
Макси́м (Макс)	**Maxim (Max)**
Микола́й/Мико́ла (Ко́ля)	**Mikolay/Mikola (Kolya)**
Миха́йло (Мишко́)	**Mikhailo (Mishko)**
Оле́г (Оле́жик)	**Oleg (Olezhik)**
Олекса́ндр (Сашко́)	**Oleksandr (Sashko)**
Олексі́й (Льо́ша)	**Oleksiy (Lyosha)**
Оста́п (Оста́пчик)	**Ostap (Ostapchik)**
Сергі́й (Сєрьо́жа/Сергійко)	**Sergiy (Seryozha/Sergiyko)**
Ю́рій (Юрко́)	**Yuri (Yurko)**

Women's Names

А́нна (А́ня)	**Anna (Anya)**
Гали́на (Га́ля)	**Galina (Galya)**
Дари́на (Дари́нка)	**Darina (Darinka)**
Євге́нія (Же́ня)	**Evgeniya (Zhenya)**
Іва́нна (Іва́нка/І́ва)	**Ivanna (Ivanka/Iva)**
Катери́на (Ка́тя)	**Katerina (Katya)**
Лари́са (Ла́ра)	**Larisa (Lara)**

Любóв (Лю́ба)	**Lyubov (Lyuba)**
Людми́ла (Лю́да/Лю́ся/Ми́ла)	**Lyudmila (Luda/Lusya/Mila)**
Мари́на (Мари́нка)	**Marina (Marinka)**
Марі́я (Мáша/Мару́ся)	**Maria (Masha/Marusya)**
Натáлія (Натáша/Натáлка)	**Nataliya (Natasha/Natalka)**
Оксáна (Ксю́ша)	**Oksana (Ksyusha)**
Олексáндра (Сáша)	**Oleksandra (Sasha)**
Олéна (Олéнка)	**Olena (Olenka)**
Óльга (Óля)	**Olga (Olya)**
Світлáна (Свє́та)	**Svitlana (Sveta)**
Софі́я (Сóня)	**Sofia (Sonya)**
Тетя́на (Тáня)	**Tatiana (Tanya)**
Ярослáва (Я́ся)	**Yaroslava (Yasya)**

English-Ukrainian

Use this index to find a Ukrainian word by looking up its English translation. Then look up the Ukrainian word to learn more about its forms and usage.

able: be able to моги́, змогти́
about про
acquaintance: make the ~ of познайо́митися
active акти́вний
actor акто́р
actress акто́рка
addition: in ~ та́кож
address адре́са
Africa А́фрика
after пі́сля
after that по́тім
afternoon: in the ~ дня, уде́нь; **good ~** добри́день
ago то́му
agreement: in ~ зго́дний
airport аеропо́рт
all увесь, усе́, усі́
almost ма́йже
already уже́
also та́кож, теж
always завжди́
am бу́ти
a.m. но́чі, ра́нку
America Аме́рика
American америка́нець, америка́нка, америка́нський
and а, і, та
answer відповіда́ти, ві́дповідь, відповісти́
apartment кварти́ра
apple я́блуко
April кві́тень
are бу́ти
area райо́н
Argentina Аргенти́на
arm рука́
armchair крі́сло
arrive приї́хати, прийти́
art мисте́цтво
article стаття́
artist арти́ст, арти́стка, худо́жник
Asia А́зія
ask запита́ти, запи́тувати, попроси́ти, проси́ти
assist допомага́ти, допомогти́
at на, у
athlete спортсме́н, спортсме́нка
attentively ува́жно
August се́рпень
Australia Австра́лія
Austria А́встрія
author а́втор
autumn восени́, о́сінь
avenue проспе́кт
back наза́д
backward наза́д
bad пога́ний
badly пога́но
bag су́мка
ballet бале́т
bank банк
basketball баскетбо́л
be стоя́ти
beanie ша́пка
beautiful га́рний
because бо

become ста́ти
beer пи́во
before рані́ше
begin поча́ти, почина́ти
beginning: in the ~ спочáтку
big вели́кий
birth наро́дження
birthplace батьківщи́на
black чо́рний
bold сміли́вий
book кни́га
book- книжко́вий
booth кіо́ск
born: be ~ народи́тися
box office ка́са
boy хло́пчик
brave сміли́вий
Brazil Брази́лія
bread хліб
break пере́рва
breakfast сніда́нок; **have ~** посні́дати, сні́дати
broadcast переда́ча
brother брат
brown кори́чневий
build будува́ти, побудува́ти
building буді́вля
bus авто́бус
bus stop зупи́нка
business бі́знес
businessman бізнесме́н
businesswoman бізнесву́мен
busy за́йнятий
but а, але́
butter ма́сло
buy купи́ти, купува́ти
by бі́ля, у
by oneself сам
cabinet ша́фа
café кафé
call зателефонува́ти, зва́ти, телефонува́ти
called: be ~ називáтися
calm спокі́йний
calmly спокі́йно, ти́хо
camera фотоапара́т
can могти́, мо́жна, мо́жна
canteen їда́льня
cap ша́пка
capital столи́ця
car авті́вка
carefully обере́жно, ува́жно
cash register ка́са
cat кі́шка
center центр
century столі́ття
chair стіле́ць
champion чемпіо́н
character хара́ктер
cheap деше́вий
cheaply де́шево
checkout stand ка́са
cheerful весе́лий
cheese сир
chemist хі́мік
chemistry хі́мія
chess ша́хи
chicken ку́рка
children ді́ти
children's- дитя́чий
China Кита́й
Chinese кита́йський, кита́єць, китая́нка
chocolate шокола́д
cinema кіно́
circus цирк
city мі́сто
city- місько́й

class уро́к
classroom клас
clearly зрозумі́ло
clever розу́мний
clinic полікл́ініка
clock годи́нник
close бли́зько, зачини́ти, зачиня́ти
close by неподалі́к
closed зачи́нений
closet ша́фа
clothes о́дяг
club клуб
coat пальто́
coffee ка́ва
cold хо́лодно
college університе́т
color ко́лір
come приї́хати, прийти́
comedy коме́дія
companion това́риш
composer компози́тор
computer комп'ю́тер
comrade това́риш
concert конце́рт
continue продо́вжувати
cook готува́ти
correct пра́вий
correctly пра́вильно
cost ко́штувати
costume костю́м
could могти́, мо́жна
country держа́ва, краї́на
crosswalk перехі́д
cuisine ку́хня
cup ча́шка
cupboard ша́фа
Czech Republic Че́хія
dad та́то
dance танцюва́ти
daughter до́нька
day день
dear дороги́й
December гру́день
decide ви́рішити, вирі́шувати
definitely обов'язко́во
deliciously сма́чно
department факульте́т
desire бажа́ти
dictionary словни́к
die поме́рти
different і́нший, рі́зний
difficult скла́дний
dining hall їда́льня
dinner вече́ря; **have ~** вече́ряти, повече́ряти
display показа́ти, пока́зувати
disposition хара́ктер
distant дале́ко
district райо́н
do займа́тися, зроби́ти, роби́ти
doctor лі́кар
doctor's office поліклі́ніка
document докуме́нт
dog соба́ка
door две́рі
dormitory гурто́житок
draw малюва́ти, намалюва́ти
dream мрі́яти
dress су́кня
drink пи́ти
drug store апте́ка
each ко́жний
earlier рані́ше
early ра́но
earth земля́
easy легки́й
eat з'ї́сти, ї́сти

economic економі́чний
economics еконо́міка
economist економі́ст
economy еконо́міка
egg яйце́
Egypt Єги́пет
eight ві́сім
eight hundred вісімсо́т
eighteen вісімна́дцять
eighty вісімдеся́т
eldest ста́рший
eleven одина́дцять
end кіне́ць
ending кіне́ць
engineer інжене́р
England А́нглія
English англі́йський
English-Ukrainian а́нгло-украї́нський
Englishman англі́єць
Englishwoman англі́йка
enjoyable весе́лий
enjoyably ве́село
entertainer арти́ст, арти́стка
entrance вхід
envelope конве́рт
error поми́лка
Ethiopia Ефіо́пія
Europe Євро́па
even на́віть
evening ве́чір; **in the `** ве́чора, уве́чері
every ко́жний
everybody усі́
everyone усі́
everything усе́
exam і́спит
example: for example напри́клад
excursion екску́рсія
excuse me ви́бач(те)
exercise впра́ва
exhibition ви́ставка
exit ви́хід
expensive дороги́й
expensively до́рого
eye о́ко
eyeglasses окуля́ри
face обли́ччя
factory заво́д
faculty факульте́т
fall восени́, о́сінь
family роди́на
famous відо́мий
far (away) дале́ко; **not ~** неподалі́к
fast шви́дко
father ба́тько
favorite улю́блений
February лю́тий
feel відчува́ти
female жіно́чий
feminine жіно́чий
few ма́ло
fifteen п'ятна́дцять
fifty п'ятдеся́т
figure ци́фра
film фільм
fine до́бре, норма́льно
finish закі́нчити, закі́нчувати
Finland Фінля́ндія
firm фі́рма
first пе́рший; **at ~** спочáтку
fish ри́ба
five п’ять; **five hundred** п'ятсо́т
floor по́верх
flower кві́тка
folk наро́д, наро́дний

following насту́пний
food ку́хня
foot нога́
footwear взуття́
for для, на
foreign інозе́мний
foreigner інозе́мець, інозе́мка
forget забува́ти, забу́ти
forty со́рок
found розташо́ваний
four чоти́ри; **four hundred** чоти́риста
fourteen чотирна́дцять
France Фра́нція
free ві́льний
French францу́зький
Frenchman францу́з
Frenchwoman францу́женка
Friday п'я́тниця
friend друг, по́друга, това́риш
from від, з
fruit фрукт
fun весе́лий
future- майбу́тній
game гра
garden сад
gently обере́жно
geographical географі́чний
German німе́цький, ні́мець, німке́ня
Germany Німе́ччина
get отри́мати, отри́мувати, узя́ти
gift подару́нок
gingerly обере́жно
girl ді́вчина, ді́вчинка
girlfriend ді́вчина, по́друга
give дава́ти, дарува́ти, да́ти, подарува́ти
glad ра́дий
glasses окуля́ри
go ї́здити, іти́, ї́хати, піти́, пої́хати, прямува́ти, ходи́ти
go by мина́ти
good до́брий
goodbye до поба́чення
government у́ряд
graduate закінчити
grammar грама́тика
granddaughter ону́чка
grandfather діду́сь
grandmother бабу́ся
grandpa діду́сь
grandson ону́к
gray сі́рий
great вели́кий
green зеле́ний
greeting card листі́вка
ground земля́
group гру́па
guest гість
guide екскурсово́д
guitar гіта́ра
half полови́на
hand рука́
happiness ща́стя
happy щасли́вий
have є, ма́ти, у
have to пови́нен, тре́ба
he він
head голова́
health здоро́в'я
healthy здоро́вий
hello здра́стуйте, приві́т
help допомага́ти, допомогти́
her ї́ї, їй, не́ї, не́ю, ній
here сюди́, тут; **here is...** ось
hi приві́т
high висо́кий

him його́, ньо́го, йому́, ним, ньо́му
his його́
historian істо́рик
historic істори́чний
historical істори́чний
history істо́рія
hockey хоке́й
holiday свя́то
home додо́му; **at ~** вдо́ма
home- рі́дний
homeland батьківщи́на
hot гаря́чий, спеко́тно
hotel готе́ль
hotel room но́мер
hour годи́на
house буди́нок
housewife домогосподá́рка
how як
how many скі́льки
hryvnia гри́вня
human люди́на
humor гу́мор
hundred сто
husband чолові́к
I я
ice cream моро́зиво
ill хво́рий
important важли́во
in у
India І́ндія
inhabitant ме́шканець
instance: for ~ напри́клад
institute інститу́т
interested: be ~ in ціка́витися
interesting ціка́вий
interestingly ціка́во
intermission пере́рва
Internet Інтерне́т
interpreter переклада́ч
into у
invite запроси́ти, запро́шувати
is бу́ти
it він, воно́, вона́
Italian італі́йський
Italy Іта́лія
its ї́ї, його́
January сі́чень
Japan Япо́нія
job робо́та
journalist журналі́ст
juice сік
July ли́пень
June че́рвень
kettle ча́йник
key ключ
Kharkiv Ха́рків
kilogram кілогра́м
kilometer кіломе́тр
kind до́брий
kiosk кіо́ск
kitchen ку́хня
knife ніж
know зна́ти
kopeck копі́йка
Korea Коре́я
Kyiv Ки́їв
Kyiv- ки́ївський
Kyivan кия́нин, кия́нка
lamp ла́мпа
language мо́ва
large вели́кий
last name прі́звище
late пі́зно; **be ~** запізни́тися, запі́знюватися
lawyer юри́ст
learn вивча́ти, ви́вчити, навча́тися

lecture ле́кція
lecture hall аудито́рія
left ліво́руч, лі́вий
leg нога́
lesson уро́к
let's... дава́й(те)
letter лист, лі́тера
library бібліоте́ка
Libya Лі́вія
lie лежа́ти
life життя́
light blue блаки́тний
light(-weight) легки́й
like люби́ти, подо́батися, сподо́батися
like this так
listen слу́хати
literature літерату́ра
little мале́нький
little girl ді́вчинка
live жи́ти
located розташо́ваний
long до́вго
long ago давно́; **not ~** нещода́вно
long time до́вго
look at диви́тися, подиви́тися
lot: a ~ ду́же; **a ~ (of)** бага́то
loudly го́лосно
love коха́ння, коха́ти, люби́ти, любо́в
lucky щасли́вий
lunch обі́д; **have ~** обі́дати, пообі́дати
Lviv Льві́в
magazine журна́л
mail надісла́ти, надсила́ти
make зроби́ти, роби́ти
male чолові́чий
man чолові́к
man's чолові́чий
manage to змогти́
manager ме́неджер
manual підру́чник
many бага́то; **not ~** ма́ло
map ма́па
March бе́резень
masculine чолові́чий
math problem завда́ння
mathematician матема́тик
mathematics матема́тика
may мо́жна, тра́вень
maybe можли́во
me мені́, мене́, мно́ю
meat м'ясо
medical treatment медици́на
medicine медици́на
meet зустрі́ти, зустріча́ти, познайо́митися
memorize запам'ята́ти, запам'ято́вувати
merry весе́лий
meter метр
Mexico Ме́ксика
milk молоко́
minute хвили́на, хвили́ночка
mistake поми́лка
modern суча́сний
mom ма́ма
moment хвили́ночка
Monday понеді́лок
money гро́ші
month мі́сяць
monument па́м'ятник
morning ра́нок; **in the ~** но́чі, ра́нку, ура́нці
mother ма́ти
mountain гора́
movie фільм

movie theater кінó
Mr. __ пан
Ms. (Mrs./Miss) __ пáні
much багáто
municipal міськи́й
museum музéй
music мýзика
must пови́нен, трéба
my мій
name ім'я́
named: be named називáтися
national нарóдний, національний
native рíдний
nature прирóда, харáктер
near бíля, неподалíк
nearby бли́зько
nearly мáйже
necessary потрíбен, потрíбно
needed потрíбен, потрíбно
neighbor сусíд, сусíдка
never нікóли
new нови́й
news новинá
newspaper газéта
newspaper stand кióск
next настýпний
nicely приємно
night ніч; **at ~** уночí; **good ~** добрáніч
nightclub клуб
nine дéв'ять; **nine hundred** дев'ятьсóт
nineteen дев'ятнáдцять
ninety дев'янóсто
no ні
no one ніхтó
nobody ніхтó
normally нормáльно
North America Півнíчна Амéрика
Norway Норвéгія
not не
notebook зóшит
nothing нічóго, нíщó
November листопáд
now зáраз, тепéр
nowhere нікýди
number нóмер, ци́фра
numeral ци́фра
o'clock годи́на
occupation профéсія
October жóвтень
Odesa Одéса
of course звíсно
of Kyiv ки́ївський
office кабінéт
often чáсто; **not often** рíдко
oil олíя
old стари́й, стари́й
oldest стáрший
on на, у
one оди́н
oneself сам, себé; **to/for ~** собí
only тíльки
open відчи́нений, відчини́ти, відчинáти
opera óпера
or абó, чи
other íнший
our наш
outside надвóрі
own: one's ~ свій; **on one's ~** сам
owner влáсник
p.m. вéчора, дня
page сторíнка
paint малювáти, намалювáти

painting карти́на
palace пала́ц
pardon ви́бач(те)
parents батьки́
park парк
pass мина́ти
passport па́спорт
past: in the past рані́ше
pay desk ка́са
pen ру́чка
pencil оліве́ць
people наро́д
people's- наро́дний
person люди́на
pharmacy апте́ка
philologist філо́лог
philosopher філо́соф
phone телефо́н
photograph фотографува́ти
physicist фі́зик
physics фі́зика
piano піані́но
picture карти́на
pity: it's a pity... шкода́
place мі́сце
plan план
play гра́ти
plaza майда́н
pleasantly прие́мно
please будь ла́ска
pleased ра́дий
pleasure задово́лення
poet пое́т
police полі́ція
poor бі́дний
poorly пога́но
popular наро́дний
post office по́шта
postage stamp ма́рка
postcard листі́вка
potatoes карто́пля
practice займа́тися
price ціна́
problem завда́ння, пробле́ма
profession профе́сія
program переда́ча, програ́ма
pupil учени́ця, у́чень
question пита́ння
quickly шви́дко
quiet спокі́йний
quietly спокі́йно, ти́хо
radio ра́діо
radio broadcast радіопереда́ча
rain дощ
rarely рі́дко
rather а
read прочита́ти, чита́ти
ready гото́вий
recall згада́ти, зга́дувати
receive отри́мати, отри́мувати
recently нещода́вно
recess пере́рва
red черво́ний
region райо́н
relax відпочива́ти
remember запам'ята́ти, запам'ято́вувати, згада́ти, зга́дувати
repeat повтори́ти, повто́рювати
reply відповіда́ти, ві́дповідь, відповісти́
request попроси́ти, проси́ти
rest відпочива́ти
restaurant рестора́н
result результа́т
rice рис
rich бага́тий
right пра́вий, право́руч

river річка
road доро́га
room кімна́та
Russia Росі́я
Russian росі́йський
salad сала́т
salt сіль
Saturday субо́та
sausage ковбаса́
say каза́ти, сказа́ти
scarf шарф
school шко́ла
science нау́ка
scientific науко́вий
scientist вче́ний
sea мо́ре
second дру́гий
see ба́чити, поба́чити
seldom рі́дко
send надісла́ти, надсила́ти
September ве́ресень
serious серйо́зний
seven сім; **seven hundred** сімсо́т
seventeen сімна́дцять
seventy сімдеся́т
several кі́лька
she вона́
shirt соро́чка
shoes взуття́
shop магази́н
show переда́ча, показа́ти, пока́зувати
shut зачини́ти, зачиня́ти
sick хво́рий
sing співа́ти
sister сестра́
sit сиді́ти
situated розташо́ваний
six шість; **six hundred** шістсо́т
sixteen шістна́дцять
sixty шістдеся́т
sky blue блаки́тний
sleep спа́ти
slowly пові́льно
small мале́нький
smart розу́мний
snow сніг
so так
soccer Футбо́л
soccer player футболі́ст
solve ви́рішити, вирі́шувати
some кі́лька
sometimes і́ноді
son син
song пі́сня
soon ско́ро
sorry ви́бач(те)
soup суп
South America Півде́нна Аме́рика
souvenir сувені́р
Spain Іспа́нія
Spaniard іспа́нець, іспа́нка
Spanish іспа́нський
speak говори́ти, розмовля́ти
spoon ло́жка
sport спорт
spring весна́; **in the ~** навесні́
square майда́н
stadium стадіо́н
stamp ма́рка
stand стоя́ти
start поча́ти, почина́ти
state держа́ва
station ста́нція
stay ме́шкати
store магази́н

story істо́рія, оповіда́ння
street ву́лиця
street crossing перехі́д
stroll гуля́ти
strong си́льний
student студе́нт, студе́нтка, учени́ця, у́чень
student- студе́нтський
study вивча́ти, ви́вчити, займа́тися, кабіне́т, навча́тися
subway метро́
suddenly ра́птом
sugar цу́кор
suit костю́м
summer лі́то; **in the ~** влі́тку
sun со́нце
Sunday неді́ля
surname пр́ізвище
Sweden Шве́ція
swimming pool басе́йн
Switzerland Швейца́рія
Syria Си́рія
table стіл
take бра́ти, узя́ти
take a picture фотографува́ти
talented талanови́тий
talk говори́ти, розмовля́ти
tall висо́кий, висо́кий
tape recorder магнітофо́н
task завда́ння
taxi таксі́
tea чай
teach навча́ти
teacher виклада́ч, виклада́чка, вчи́тель, вчи́телька
telephone зателефонува́ти, телефонува́ти
television телеві́зор
television broadcast телепереда́ча

tell каза́ти, розповіда́ти, розповісти́, сказа́ти
temperature температу́ра
ten де́сять
tennis те́ніс
test і́спит
text текст
textbook підру́чник
Thailand Таїла́нд
thank you дя́кую
that що, яки́й
theater теа́тр
their їх
them їх, їм, ни́ми, них
then по́тім
there там, туди́
there is/are є
there isn't/aren't нема́
they вони́
think ду́мати
thirteen трина́дцять
thirty три́дцять
this цей
thousand ти́сяча
three три; **three hundred** три́ста
three times три́чі
thrice три́чі
Thursday четве́р
ticket квито́к
ticket window ка́са
time раз, час
tired: get tired втоми́тися
to до, на, у
to be бу́ти
today сього́дні
together ра́зом
tomorrow за́втра
too теж

tourist тури́ст
toward до
train по́тяг
train car ваго́н
train station вокза́л
tram трамва́й
translator перекладá ч
transport тра́нспорт
tree де́рево
trip екску́рсія
trolley(bus) тролéйбус
trouble пробле́ма
Tuesday вівто́рок
TV телеві́зор
twelve двана́дцять
twenty два́дцять
twice дві́чі
two два; **two hundred** дві́сті
Ukraine Украї́на
Ukrainian украї́нець, украї́нка, украї́нський
Ukrainian-English украї́но-англі́йський
umbrella парасо́лька
uncle дя́дько
understand зрозумі́ти, розумі́ти
understandably зрозумі́ло
university університе́т
until до
us нас, нам, на́ми
usually зазвича́й
various рі́зний
vegetable о́воч
very ду́же
very much ду́же
visa ві́за
volleyball волейбо́л
wait чека́ти
walk гуля́ти, іти́, ходи́ти
wall стіна́
want хоті́ти
wardrobe ша́фа
warm те́пло
was бу́ти
watch годи́нник, диви́тися, подиви́тися
water вода́
way доро́га
we ми
wealthy бага́тий
weather пого́да
Wednesday середа́
week ти́ждень
well до́бре
were бу́ти
what що; **~ for** наві́що; **~ kind of** яки́й
when коли́
where де, куди́
which яки́й
white бі́лий
who хто, яки́й
whose чий
why наві́що, чому́
wife дружи́на
will бу́ти
window вікно́
wine вино́
winter зима́; **in the ~** узи́мку
wish бажа́ти
with з
without без
without fail обов'язко́во
woman жі́нка
woman's жіно́чий
word сло́во
work працюва́ти
world світ

write написа́ти, писа́ти
year рік
yellow жо́втий
yes так
yesterday вчо́ра
yet ще
you ти, тобі́, тебе́, тобо́ю; ви, вас, вам, ва́ми
young молоди́й
young woman дівчина
younger моло́дший
youngest моло́дший
your твій; ваш
zoo зоопа́рк

Printed in Great Britain
by Amazon